एक थी रामरती

शिवानी

गौरा पंत 'शिवानी' का जन्म 17 अक्टूबर, 1923 को विजयादशमी के दिन राजकोट (गुजरात) में हुआ। आधुनिक अग्रगामी विचारों के समर्थक पिता श्री अश्विनीकुमार पाण्डे राजकोट स्थित राजकुमार कॉलेज के प्रिंसिपल थे, जो कालांतर में माणबदर और रामपुर की रियासतों में दीवान भी रहे। माता और पिता दोनों ही विद्वान् संगीतप्रेमी और कई भाषाओं के ज्ञाता थे। साहित्य और संगीत के प्रति एक गहरा रुझान 'शिवानी' को उनसे ही मिला। शिवानी जी के पितामह संस्कृत के प्रकांड विद्वान पं. हरिराम पाण्डे, जो बनारस हिन्दू विश्वविद्यालय में धर्मोपदेशक थे, परम्परानिष्ठ और कट्टर सनातनी थे। महामना मदनमोहन मालवीय से उनकी गहन मैत्री थी। वे प्रायः अल्मोड़ा तथा बनारस में रहते थे, अतः अपनी बड़ी बहन तथा भाई के साथ शिवानी जी का बचपन भी दादाजी की छत्रछाया में उक्त स्थानों पर बीता, किशोरावस्था शान्तिनिकेतन में और युवावस्था अपने शिक्षाविद् पति के साथ उत्तर प्रदेश के विभिन्न भागों में। पति के असामयिक निधन के बाद वे लम्बे समय तक लखनऊ में रहीं और अन्तिम समय में दिल्ली में अपनी बेटियों तथा अमरीका में बसे पुत्र के परिवार के बीच अधिक समय बिताया। उनके लेखन तथा व्यक्तित्व में उदारवादिता और परम्परानिष्ठता का जो अद्भुत मेल है, उसकी जड़ें इसी विविधतापूर्ण जीवन में थीं।

शिवानी की पहली रचना अल्मोड़ा से निकलनेवाली 'नटखट' नामक एक बाल पत्रिका में छपी थी। तब वे मात्र बारह वर्ष की थीं। इसके बाद वे मालवीय जी की सलाह पर पढ़ने के लिए अपनी बड़ी बहन जयंती तथा भाई त्रिभुवन के साथ शान्तिनिकेतन भेजी गईं, जहाँ स्कूल तथा कॉलेज की पत्रिकाओं में बांग्ला में उनकी रचनाएँ नियमित रूप से छपती रहीं। गुरुदेव रवीन्द्रनाथ टैगोर उन्हें 'गोरा' पुकारते थे। उनकी ही सलाह, कि हर लेखक को मातृभाषा में ही लेखन करना चाहिए, को शिरोधार्य कर उन्होंने हिन्दी में लिखना प्रारम्भ किया। 'शिवानी' की एक लघु रचना 'मैं मुर्गा हूँ' 1951 में 'धर्मयुग' में छपी थी। इसके बाद आई उनकी कहानी 'लाल हवेली' और तब से जो लेखन-क्रम शुरू हुआ, उनके जीवन के अन्तिम दिनों तक अनवरत चलता रहा। उनकी अन्तिम दो रचनाएँ 'सुनहुँ तात यह अकथ कहानी' तथा 'सोने दे' उनके विलक्षण जीवन पर आधारित आत्मवृत्तात्मक आख्यान हैं।

1982 में शिवानी जी को पद्मश्री से अलंकृत किया गया। उपन्यास, कहानी, व्यक्तिचित्र, बाल उपन्यास और संस्मरणों के अतिरिक्त, लखनऊ से निकलनेवाले पत्र 'स्वतन्त्र भारत' के लिए 'शिवानी' ने वर्षों तक एक चर्चित स्तम्भ 'वातायन' भी लिखा। उनके लखनऊ स्थित आवास-66, गुलिस्ताँ कालोनी के द्वार लेखकों, कलाकारों, साहित्य-प्रेमियों के साथ समाज के हर वर्ग से जुड़े उनके पाठकों के लिए सदैव खुले रहे। 21 मार्च, 2003 को दिल्ली में 79 वर्ष की आयु में उनका निधन हुआ।

शिवानी

एक थी रामरती

राधाकृष्ण पेपरबैक्स

राधाकृष्ण पेपरबैक्स में
पहला संस्करण : 2007
पाँचवाँ संस्करण : 2025

राधाकृष्ण पेपरबैक्स : उत्कृष्ट साहित्य के जनसुलभ संस्करण

राधाकृष्ण प्रकाशन प्राइवेट लिमिटेड
जी-17, जगतपुरी, दिल्ली-110 051
द्वारा प्रकाशित

शाखाएँ : अशोक राजपथ, साइंस कॉलेज के सामने, पटना-800 006
पहली मंजिल, दरबारी बिल्डिंग, महात्मा गांधी मार्ग, प्रयागराज-211 001
1, अनमोल सोराबजी सन्तुक लेन, धोबी तलाव, मरीन लाइंस, मुम्बई-400 002
वेबसाइट : www.radhakrishnaprakashan.com
ई-मेल : info@radhakrishnaprakashan.com

विकास कम्प्यूटर एंड प्रिंटर्स
ट्रॉनिका सिटी-201 102
द्वारा मुद्रित

मूल्य : ₹199

EK THI RAMRATI
Memoires by Shivani

ISBN : 978-81-8361-157-2

क्रम्

वाग्देवी का अद्भुत वरदान

अपनी पटना-यात्रा के दौरान मेरी भेंट बिहार की एक ऐसी प्रतिभाशाली महिला से हुई, जिन्हें देखकर सहज में विश्वास नहीं होता है कि यह वही विलक्षण स्वरसाधिका हैं, जिन्हें बिहार के लोकगीतों का चलता-फिरता विश्वकोश कहा गया है। मैं बहुत वर्षों से उनके मधुर सहज कण्ठ की प्रशंसिका रही हूँ, किन्तु उन्हें कभी देखा नहीं था। मैं जहाँ ठहरी थी वहाँ से उनका निवासस्थान निकट ही था, इसी से मैंने उनसे मिलने की इच्छा प्रकट की। मेरी मेजबान ने उन्हें मेरा सन्देश भिजवाया तो वे स्वयं आ गईं। मैं उनके कंठ की प्रशंसिका थी और वे मेरी लेखनी की। मैंने जब उन्हें देखा तो दंग रह गई। अत्यन्त साधारण-सी वेशभूषा, सीधे पल्ले की साड़ी, उदास-सा चेहरा किन्तु जब हँसी तो वहीं सरल चेहरा एक क्षण में उद्भासित हो उठा।

निश्चय ही बिहार को अपनी इस स्वरसाधिका पर गर्व होना चाहिए। अथक परिश्रम से ही उन्होंने बिहार के लोकगीतों का जैसा अद्भुत संकलन किया है, वह स्वयं अपने में मिसाल है। शायद ही कोई क्षेत्रीय लोकधुन या संस्कार गीत उनके कंठ में न रिसा हो। वास्तव में ये भारत की रेशमा हैं—वही सरलता, वही निरभिमान सहज स्मित और मांसल कंठ की वही जादूगरी। अन्तर इतना ही है कि पाकिस्तान ने रेशमा-रत्न को गुदड़ी से निकाल खरे सोने से चौखट में मढ़ दिया है और हमारे भारत की ये रेशमा अभी भी अपने काष्ठ के चौखट में ही सन्तुष्ट हैं।

स्वर्गीय जगत बहादुर सिंह की पुत्री, विंध्यवासिनी का जन्म 5 मार्च, 1920 को मुजफ्फरपुर में हुआ। जन्म के बाद ही ये मातृहीन हो गईं, अपने नाना चतुर्भुज सहाय की देखरेख में उनकी शिक्षा प्रारम्भ हुई। भगवान भक्त नाना हरिभजन गाने में ही लीन रहते थे, वही विंध्यवासिनी के लिए वरदान सिद्ध

हुआ। इनका मधुर कंठ सुन नाना ने इन्हें क्षितीशचन्द्र वर्मा से संगीत-शिक्षा दिलवाई किन्तु स्कूली शिक्षा अधिक नहीं हो पाई।

यह भी एक विचित्र संयोग था कि 1931 में इनका विवाह श्री सहदेवेश्वर वर्मा (अब स्वर्गीय) से हुआ जिन्होंने इन्हें साहित्य एवं संगीत के अध्ययन-गायन की सम्पूर्ण सुविधाएँ दिला दीं। 1942 में स्थायी रूप से पटना रहने आ गईं और यहाँ एक कन्या विद्यालय में संगीत शिक्षिका बन गईं। इसी बीच, उदार पति के सहयोग से इन्होंने प्रयाग से विशारद और हिन्दी विद्यापीठ, देवघर से साहित्य विभूषण की परीक्षाएँ भी उत्तीर्ण कर लीं। पति स्वयं संगीतज्ञ थे, उन्हीं के प्रयास से इन्होंने भातखण्डे संगीत विद्यालय, लखनऊ, से शास्त्रीय संगीत की भी विधिवत् शिक्षा प्राप्त की।

अपने पति के सहयोग से ही इन्होंने 1949 में 'विंध्यकला मन्दिर, पटना' की स्थापना की। यह बिहार का एक प्रमुख लोकगीत, लोकनृत्य एवं नाट्य के साथ-साथ शास्त्रीय संगीत विद्यापीठ भी है। श्री मकबूल नदाफ लिखते हैं, "यह कला मन्दिर, विंध्यवासिनी देवी का ही मानस-पुत्र है, रवि बाबू ने जब प्रारम्भ में बँगला रंगमंच पर महिलाओं को उतारा था तब उनकी कड़ी आलोचना की गई थी, किन्तु इन सारी आलोचनाओं के बावजूद रवि बाबू बँगला लोक रंगमंच को विकसित करते रहे। समय के साथ-साथ स्थिति बदली और बाद में उनकी प्रशंसा होने लगी। 30 वर्ष के पश्चात् उसी 'अमृत बाजार' में श्री तुषारकान्ति घोष ने लिखा कि रवि बाबू ने बँगला रंगमंच को उठाया ही नहीं, बल्कि उन्होंने बंग जनजीवन में लोकसंगीत और लोकनृत्य को भी उभार दिया, यही बात बहुत कुछ अंश में विंध्यवासिनी देवी जी पर बिहार के लिए भी लागू होती है।"

विंध्यवासिनी देवी के विचार में बिहार में जब तक ऐसे रंगमंच का निर्माण नहीं होता, जिसके माध्यम से बिहार की बहू-बेटियों को संगीत, नृत्य और अभिनय की शिक्षा दी जा सके, बिहार की संस्कृति का अध्याय अधूरा ही कहलाएगा। उनका यह दृढ़ विश्वास है कि कला जनजीवन को उठाती है, गिराती नहीं है। इसी विश्वास से उन्होंने 1948 में 'मानव' नामक संगीत रूपक से प्रभूत प्रशंसा अर्जित की। लोकगीतों और लोकनृत्यों से सँवारा यह रूपक, बिहार सरकार द्वारा स्वीकृत होकर अनेक अवसरों पर मंचित किया जा चुका है। तत्कालीन लोकसंस्कृति निदेशक श्री गोरखनाथ सिंह ने 'मानव' देखकर कहा था कि "जो कार्य शहनाईनवाज श्री बिस्मिल्ला खान ने किया, वही कार्य

विंध्यवासिनी देवी ने लोकगीतों के लिए किया।" वास्तव में देखा जाए तो बिहार की गुदड़ी में छिपे इस अनूठे रत्न को पहचानने का श्रेय स्व. श्री जगदीशचन्द्र माथुर को है, उन्होंने आकाशवाणी के महानिदेशक होने पर, अनेक अनावश्यक बाधाओं और औपचारिकताओं को लाँघ, उन्हें पटना आकाशवाणी केन्द्र के लोकगीतों की संयोजिका के पद पर नियुक्त किया और उस पद पर वे पूर्ण निष्ठा से 1979 तक कार्यरत रहीं।

संप्रति, पटना केन्द्र के संयोजिका पद से सेवानिवृत्त हो ये अपना समस्त समय अपने साधना केन्द्र को सुप्रतिष्ठित करने में लगा रही हैं। साथ ही राष्ट्रीय कार्यक्रमों के अनेक अवसरों पर वे लोकसंगीत के कार्यक्रम आकाशवाणी से प्रस्तुत करती रहती हैं।

बारह भागों में 'लोकसंगीत सागर' के प्रथम भाग 'सोहर प्रकरण' को उन्होंने बिहार सरकार के जनसम्पर्क विभाग को प्रकाशनार्थ दिया है। रामायण काल से आधुनिक काल तक के इतिहास पर आधारित नोटेशन सहित एक अन्य कृति 'वैशाली महिमा' तथा भोजपुरी, मगही एवं मैथिली के 'लोकगीतों की रचना' भी प्रकाशनाधीन है।

यही नहीं, लोकशब्दों का एक बृहतकोश लोकशब्द सागर—सम्पादिका विंध्यवासिनी देवी, सहायक सम्पादक (संतोष कुमार सिन्हा) भी ऐसा एक अद्भुत समृद्ध कोश है जिसमें लगभग दस हजार लोकशब्दों का संकलन है। इसमें मैथिली, भोजपुरी, मगही, अंगिका एवं वज्जिका लोकशब्दों का भाषा-विज्ञान के आधार पर वर्गीकरण किया गया है।

इसके अतिरिक्त उनके पास बिहार के लोकजीवन की जो दुर्लभ सामग्री उपलब्ध है, उससे दर्जनों ग्रंथों की सृष्टि हो सकती है। उनके विषय में यह उक्ति सर्वथा सटीक बैठती है कि कलाकार की महान् कला से ही अलंकार भी अलंकृत होता है।

अपने इन्हीं गुणों के कारण वे 7 वर्षों की सुदीर्घ अवधि तक भारत सरकार की संगीत नाटक अकादमी की मानद सदस्या रह चुकी हैं। स्वर्गीय पं. जवाहरलाल नेहरू के जीवन के अंतिम काल तक गणतन्त्र दिवस आदि राष्ट्रीय उत्सवों में उन्होंने सदैव बिहार के सांस्कृतिक दल का चुनाव किया।

इसके अतिरिक्त क्षेत्रीय फिल्मों में लोकधुन देने के साथ-साथ, एक मैथिली फिल्म 'कन्यादान' में इन्होंने स्वतन्त्र रूप से संगीत-निर्देशन भी किया। भोजपुरी फिल्म में वे पार्श्वगायिका भी रहीं। इनके कंठमाधुर्य से प्रभावित

होकर, 'हिजमास्टर्स वायस' ने इनके गाए संस्कार गीतों का एक रेकार्ड भी तैयार किया। हिन्दी फिल्म 'छठ मइया की महिमा' में डॉ. भूपेन्द्र हजारिका के संगीत-निर्देशन में पार्श्वगायिका के रूप में इन्होंने चार गीत गाकर अभूतपूर्व लोकप्रियता अर्जित की।

भारतीय सांस्कृतिक सम्बन्ध परिषद् की ओर से वे दो बार मारीशस गईं। यहाँ स्वदेशी लोकगीतों की क्षुधा से क्षुधातुर अनेकानेक प्रवासी भारतीयों के संस्कृति शुष्क जीवन में इन्होंने जो रसवृष्टि की, वह सदा उनके लिए स्मरणीय रहेगी—मैथिली, मगही, भोजपुरी भाषाओं में जन्म, विवाह गीत गाने में समान रूप से समर्थ इस स्वरसाधिका को निश्चय ही विधाता का वरदान है।

1947 में भारत सरकार ने इन्हें पद्मश्री से विभूषित किया, इसके अतिरिक्त अनेक ताम्रपत्र, पदक प्राप्त हुए। एक साधिका के रूप में इनका जीवन अनेक संघर्षों से जूझते ही व्यतीत हुआ है, पति का निधन इनके लिए ऐसा आघात सिद्ध हुआ, जिससे वह टूट-सी गईं किन्तु इनका लौह व्यक्तित्व एक ऐसा व्यक्तित्व है जो टूटकर भी बिखरता नहीं।

मेरे पास बैठकर अस्वस्थ होने पर भी मेरे अनुरोध पर उन्होंने कितने ही सुमधुर गीत गाकर सुनाए, एक-के-बाद-एक, जैसे किसी झरने की हीरक जलधार मुझे आपादमस्तक रससक्ति करती रही। परिशीलित सुरीले कंठ की स्वामिनी विंध्यवासिनी देवी की गायन भंगिमा की चिन्ताशीलता एवं रसबोध समान रूप से सुपरिस्फुट है।

वह विवाह-गीत हो या सोहर या विद्यापति की कोई लोकप्रिय रचना, इस गायिका का सम्पूर्ण निवेदन ही है—अद्भुत व्यंजनामय एवं हृदयस्पर्शी। ऐसी शिल्पबोधसम्पन्नता केवल रियाज से ही नहीं आती, वह स्वयं वाग्देवी का वरदान होता है। उनके दीप्त-सतेज कंठ को किसी माइक की आवश्यकता कभी नहीं रहती, सरलता ऐसी कि कहीं भी कोई विवाह हो या पुत्र-जन्म, उनसे अनुरोध किया और वे चटपट गाकर आयोजन को धन्य कर देती हैं।

मैंने जब उनसे कहा कि आप जैसी विलक्षण महिला के विषय में कुछ लिखना चाहती हूँ तो उन्होंने हँसकर कहा, 'मुझ पर क्या लिखोगी बहन! देख तो रही हो, मैं तो एक अत्यन्त साधारण गृहिणी मात्र हूँ।"

विधाता ऐसी विलक्षण गृहिणी के सुमधुर कंठ को सुदीर्घ जीवन दे और स्वयं अपनी ही प्रतिभा से सर्वथा अनभिज्ञ यह वन-कोकिला निरन्तर भारत के आम्रकुंजों में टहूकती रहे।

हे विदेशिनी! हम तुम्हें पहचानते हैं

गत वर्ष, पेरिस में उतरते ही, स्मृतिपटल पर एक धूमिल आकृति सजीव हो उठी थी। सोचा था, पुराने पते के सूत्र से उन्हें ढूँढ़ ही लूँगी जिनसे मैंने ही नहीं, शान्तिनिकेतन की अनेक छात्राओं ने जीवन की महत्त्वपूर्ण अभिज्ञताएँ बटोरी हैं। किन्तु, दुर्भाग्यवश उस बार हवाई अड्डे तक ही पेरिस यात्रा स्थगित करनी पड़ी। हमारे शास्त्रों ने गुरु का मौलिक अर्थ 'पिता' बतलाया है। इस दृष्टि से मैदमोजेल क्रिस्टीना बौजनिक निश्चय ही आश्रम की जननी थीं। लम्बी-छरहरी देह, सुनहले बालों का एकदम खाँटी शान्तिनिकेतनी ढीला जूड़ा, गहरी नीली आँखें, गम्भीर मुखमुद्रा, खद्दर की पीली साड़ी पर चौड़ा काला पाड़, बिना बाँह के ब्लाउज से निकली सुडौल बाँहें! गुरुदेव ने उनका नया नाम धरा था 'वासंती'। शायद उनके इसी प्रिय रंग के लगाव के कारण! दीदी गुरुदेव के आह्वान पर ही भारत आईं और फिर वहीं की हो गईं। सुदीर्घ अवधि तक शान्तिनिकेतन के छात्रावास की वार्डन रहीं और अपने कठोर अनुशासन से, आश्रम की दुःसाहसी छात्राओं के औद्धत्य को भी मुट्ठी में बाँध रहीं।

मैंने नौ वर्षों में कभी भी उन्हें किसी को जोर से डपटते नहीं सुना। पर रौब ऐसा था कि श्रीभवन के जिस कमरे से गुजरतीं, लड़कियों को साँप सूँघ जाता। मजाल था, कोई लड़की रात्रि की हाजरी के बाद एक कदम तो बाहर रख दे। आश्रम में तब, आज के-से सुविधाजनक साधन नहीं थे, आश्रम का अपना जनरेटर था, नया बिजलीघर तब नहीं बना था, इसी से ठीक नौ बजे बत्ती बुझा दी जाती थी। इसके बाद, लालटेन या मोमबत्ती की रोशनी में भी पढ़ना वर्जित था।

रात्रि प्रार्थना के बाद दीदी गुरुगंभीर स्वर में नित्य का फरमान नियमित रूप से घोषित करतीं, "मुझे आशा है कि आप ठीक नौ बजे सोकर सुबह चार

बजे वैतालिक का घंटा सुनते ही बिस्तर छोड़ देंगी", लड़कियाँ भुनभुनातीं– "अजीब जल्लाद औरत है, परीक्षा के दिनों में भी रात-भर नहीं जागें तो पास कैसे होंगे?..." पर लाख भुनभुनाएँ किसी को भी उस आदेश की अवहेलना करने का साहस नहीं होता।

एक बार, एक लड़की ताराशंकर बाबू का तत्कालीन अत्यन्त लोकप्रिय उपन्यास 'कवि' ले आई। उसके मामा कलकत्ते से आए थे और इस शर्त पर उन्होंने उसे अपनी भानजी को दिया था कि पढ़कर उनके जाने से पूर्व उन्हें लौटा दे। उन्हें रविवार को जाना था और शनिवार को वह क्षीण कलेवरी उपन्यास हाथों ही हाथों में घूमते जब मेरे हाथ लगा तो रात के आठ बज चुके थे, सुबह पढ़कर मुझे लौटाना था, रात को कमरा बन्द कर छात्रावास की नौकरानी, खुदूबाला को चवन्नी घूस देकर, बड़ी चिरौरी कर मैंने उससे रात-भर के लिए लालटेन भाड़े पर ली। वह बोली, "दीदी मनि, बाघिनी देखले आमार चाकरी जाबे" (दीदी मनि, बाघिनी ने देख लिया तो मेरी नौकरी चली जाएगी) पाए पड़ी, धरा पड़ले आमार नामटा बलबेन ना।" (अगर तुम पकड़ी गईं तो पाँव पड़ती हूँ मेरा नाम मत लेना।)

उसे आश्वस्त कर मैंने विदा किया। फिर तीन-चार कुर्सियों को साड़ी की यवनिका से ढाँप-ढूँप मैं पढ़ने बैठ गई। दीदी अपना राउंड लेकर, कमरे में जा चुकी थीं। पढ़ते-पढ़ते रात बीत गई। एक बार मेरे कमरे की छात्राओं ने सावधान भी किया, "आज के तोर मरन।" (आज तेरी मौत है) पर दीदी, निचली मंजिल में रहती थीं, उन्हें क्या पता कि मैं पढ़ रही हूँ।

अचानक टार्च की रोशनी मेरे चेहरे पर पड़ी, मैं हड़बड़ाकर उठी, सामने नाइट गाउन पहने दीदी खड़ी थीं। उनकी आँखों से जैसे लपटें निकल रही थीं। एक शब्द भी कहे बिना वह आगे बढ़ीं, मेरे हाथ से उपन्यास लिया, लालटेन उठाई और हाथ से इशारा किया कि मेरे साथ चलो, मुझे काटो तो खून नहीं–क्या करेंगी अब!

अपने कमरे में ले जाकर, उन्होंने मुझे एक कोने में खड़ी कर दिया और अपने लिखने की मेज पर कुर्सी खींचकर बैठ गईं। बड़ी देर की मनहूस चुप्पी के बाद, उन्होंने आग्नेय दृष्टि से मुझे झुलसाकर उपन्यास उठाकर पूछा, "यह कौन-सी पुस्तक है?..." मैंने सिर झुका लिया, "एक उपन्यास दीदी..."

"तुम्हारे कोर्स की पुस्तक होती तो मैं तुम्हें केवल फाइन कर छोड़ देती, परीक्षा निकट है और तुम छात्रावास का नियम भंग कर उपन्यास पढ़ती हो।

खैर, इसका क्या दंड तुम्हें मिलना चाहिए—मैंने सोच लिया है। फिलहाल वैतालिक का घंटा बजने तक यहीं खड़ी रहो।" घंटा बजते ही मुझे मुक्ति मिल गई पर दीदी ने कहा, "प्रार्थना सभा में जाने के पहले यहाँ होकर जाना।"

मैं आई तो बोलीं, "पीठ मेरी ओर करके खड़ी हो।" मैं समझ गई कि अब चाबुक पड़ेगा। पर जो पड़ा उसकी मार चाबुक से भी अधिक दुर्वह थी। मैं उनकी ओर पीठ कर खड़ी हो गई, सर-सर काग़ज़ की सरसराहट हुई और दीदी ने मेरी पीठ पर काग़ज़ का एक पट्टा चिपका दिया। उस पर क्या लिखा है मैं यह नहीं जान पाई पर बाहर निकली, तो लड़कियाँ हँसने लगीं। एक ने फुसफुसाकर कहा, "लिखा है...इसने आश्रम का नियम भंग किया है।" मैं तब इंटर में थी। उस बचकाने दंड का अवांछनीय पट्टा पहन गुरुजनों एवं सहपाठियों के सम्मुख जाने में मेरी क्या अवस्था हुई थी, कह नहीं सकती। लड़कों ने तो तत्क्षण मेरा नवीन नामकरण भी कर दिया—'नियम भंगिनी'।

ताराशंकर बाबू के उस उपन्यास का ऐसा मूल्य शायद ही किसी पाठक ने चुकाया होगा। किन्तु बीमार पड़ने पर वही दीदी उदार स्नेहमयी जननी-सी बन जाती थीं। एक बार मेरी आँख के नीचे व्रण हो गया था। रात-रात भर मेरे सिरहाने बैठकर दीदी ने कई दिनों तक पुलटिस बाँधा। जितने दिन बीमार रही स्वयं अपने हाथों से नाश्ता बनाकर मुझे खिलाती रहीं।

छात्रावास का प्रत्येक कमरा झकाझक चमकता रहे, कहीं पर भी धूल न हो, न पलंग के नीचे चप्पलें रहें न जूते।

"मुझे भारत में एक चीज़ अखरती है," वह कहती थीं, "तुम लोगों में पलंग के नीचे कूड़ा-करकट खिसकाने की बहुत बुरी आदत होती है, चप्पलें हों या जूते खिसका दिए पलंग के नीचे और चट से पलंगपोश से ढँक दिया। यदि तुम एक दिन थोड़ी-सी मेहनत कर कमरे का ओना-कोना साफ कर लो तो दूसरे दिन उतनी ही कम मेहनत से कमरा साफ कर लोगी और धीरे-धीरे यह अभ्यास बन जाएगा। पलंग ऐसे बिछा हो कि चादर पर शिकन न हो, धीरे-धीरे यह आदत ऐसी पड़ जाएगी कि चादर की सामान्य-सी सिलवट भी तुम्हें चुभने लगेगी...देखो मेरी पिती (मेरी बच्ची)," बीच-बीच में अपना फ्रेंच संबोधन दुहराकर कहतीं, "मेरी माँ कहा करती थीं कि जो लड़की ढंग से बिस्तर लगाना सीख लेती है वह जीवन-भर अपना घर भी ढंग से सँजोना सीख लेती है। प्रत्येक लड़की को दो बातें अवश्य सीखनी चाहिए—एक अपना बेडरूम स्वच्छ रखना, दूसरा बाथरूम।..."

श्रीभवन में स्वयं उनका कमरा हम सबके लिए ज्वलंत दृष्टांत था। मैंने उन्हें कभी खाली बैठे नहीं देखा। कभी क्रास स्टिच की कढ़ाई लेकर बैठ जातीं, कभी टैटिंग की लेस! सप्ताह में चार दिन वह फ्रेंच क्लास लेतीं, यह फ्रेंच शिक्षा निःशुल्क रहती।

एक बार वह छुट्टियाँ बिताने बनारस गईं। वहाँ उनके दो फ्रेंच मित्र तब रीवाँ कोठी में रहते थे। उसी समय हम कुछ छात्र-छात्राएँ भी बनारस पर्यटन दल के साथ गए। दीदी ने हमें रात्रिभोज एवं नौकाविहार के लिए आमन्त्रित किया तो हमने दीदी का एक सर्वथा नवीन रूप देखा। मुझे आज भी उनके उस प्रासाद की अभिनव सज्जा नहीं भूलती। बड़े-बड़े फूलदान; शाही झाड़फानूस, दर्शनीय तैलचित्र और उन सबके बीच हमारे स्वागतार्थ खड़ी दीदी एक बार फिर मैदमोजेल बौजनिक बन गई थीं। नित्य बेरहमी से लपेटा गया जूड़ा उन्मुक्त कन्धों पर झूल रहा था, कंठ में मोतियों की दुलड़ी, हल्की धानी रेशमी गाउन पर बने लाल-लाल चेरीगुच्छ, हाथ में ड्रेगन बना सुवर्ण वलय।

नित्य उन्हें खद्दर की मोटी साड़ी में देखने की अभ्यस्त हमारी आँखें, उन्हें पहचान ही नहीं पा रही थीं। दीदी के मित्र, ज्याँ रेनुवा, उन दिनों के ख्यातिप्राप्त फिल्म निर्देशक थे। जिनकी 'रिवर' फिल्म की उन दिनों विशेष चर्चा थी। रात को उन्हीं के बजरे में हमने कितने ही घाट घूमे; दीदी थीं विदेशी वेशभूषा में किन्तु दीदी के दोनों मित्र दुग्ध धवल धोती और कुर्ते में थे। उसी घाट पर दोनों ने अपने गौर ललाट भी चंदन चर्चित करवाए। मेरे पास उनका वह चित्र आज भी धरा है, उसी दिन दीदी ने मुझे काले चमड़े में मढ़ा छोटा-सा बाइबिल दिया। उसके प्रथम पृष्ठ पर, उनके सुन्दर अक्षरों में लिखा था :

"इस आशा के साथ कि तुम जीवन में कभी भी कोई नियम भंग नहीं करोगी।"

उनकी वे पंक्तियाँ आज तक मेरी पाथेय बनी रही हैं। किन्तु, आश्रम में प्रत्यावर्तन के साथ वे एक बार फिर वही चाबुक घुमाती दीदी बन गईं। किन्तु आश्रमवास के अन्तिम दिन, उनके लिए सुखद नहीं रहे। गुरुदेव की मृत्यु के बाद, आश्रम जीवन में अनेक परिवर्तन होने लगे थे। नियमों में स्वयमेव शैथिल्य रेंग आया था। गुरुपल्ली में विभिन्न गुटों ने छात्र-छात्राओं में दरार डाल दी थी। बिहार से आई कुछ दबंग छात्राओं ने श्रीभवन के कठोर नियमों के विरुद्ध बगावत आरंभ कर दी थी, क्या जरूरी है कि रात नौ बजे अच्छी बच्चियों की तरह सो लिया जाए? लिपस्टिक भला क्यों न लगाएँ? रात की प्रार्थना के बाद टहलने

निकल जाएँ तो कौन-सा आसमान ढह जाएगा आदि-आदि।

दीदी के सामने ही लड़कियाँ घूमने निकल जातीं, एक दुःसाहसी छात्रा ने तो एक दिन अपने जन्मदिन का आयोजन कर कुछ छात्रों को भी छात्रावास में आमन्त्रित कर दिया। दीदी तब तक बदलती समय धारा के साथ, कदम से कदम मिलाने की प्राणपण से चेष्टा कर रही थीं, किन्तु उस दिन उनके कदम भी डगमगा गए। वह छात्रा अफ्रीका के एक समृद्ध गुजराती परिवार की दुहिता थी। इसके पूर्व उसके नाम आए, एक छात्र के प्रेमपत्र दीदी पकड़ चुकी थीं। उनके अनुशासन ने न तब तक, अभिजात्य के सम्मुख घुटने टेके थे, न समृद्धि के, न सिफारिश के। उनके नियम सबके लिए एक-से थे चाहे वह पंडित नेहरू की पुत्री हो, अम्मू स्वामीनाथन की या कूचबिहार की राजकन्या।

किन्तु सहसा सब उलट-पुलट हो गया। दीदी ने उस छात्रा को निष्कासन की कठोर चेतावनी दी। छात्राओं ने बगावत और तेज कर दी। धीरे-धीरे बात बढ़ती गई। दीदी से कहा गया, वह अपना आदेश वापस खींच लें, समय बदल गया है, आश्रम को भी बदलना होगा। दीदी ने उस मीटिंग में अपनी शान्त नील समुद्र-सी आँखें उठाकर क्या कहा, हम नहीं जान पाए। किन्तु इतना हम जान गए कि जीत अपराधिनी की ही हुई है। वह बनी रही। दीदी चली गईं।

गुरुदेव जीवित होते तो क्या उन्हें ऐसे जाने देते? गुरुदेव हों या नहीं, इतना हम सब जानते थे कि वह दीदी की पराजय नहीं, बहुत बड़ी विजय थी। किन्तु जो सर्वस्वत्यागिनी विदेशिनी, अपना वैभव, देश त्यागकर, गुरुदेव के आह्वान पर आश्रम चली आई थीं, जिन्होंने हम छात्राओं को अपने जीवन एवं त्याग से नित्य प्रेरणा दी, उन्हें हमने क्या दिया? कैसी गुरुदक्षिणा दी—अपमान, प्रवंचना और अवमानना। एक दिन, उन्होंने मेरा हाथ थामकर कहा था, "ईश्वर ने तुम्हें उदार करपुट दिया है इसलिए कि इसे भरकर जितना ग्रहण करो, उतना ही दूसरों को बाँट सको।"

दो वर्ष पूर्व दूतावास से पता चला था, वह जीवित हैं, यदि अब भी जीवित हों तो नब्बे वर्ष की होंगी, जी में आता है कि इस बार फिर पेरिस में उन्हें ढूँढ़ उनके कानों में रवीन्द्रनाथ की वही पंक्तियाँ गुनगुनाऊँ जो कभी उन्हें बहुत प्रिय थीं—

तोमाय चीनी गो चीनी
ओगो विदेशिनी
(हे विदेशिनी, हम तुम्हें पहचानते हैं)

'...मुरलिया तू कौन गुमान भरी!'

कभी एक गाना सुना था : "मुरलिया तू कौन गुमान भरी, सोने की नाँही, चाँदी की नाँही, नाँही रतन जड़ी..." किन्तु सोने-चाँदी की न होने पर भी, कभी-कभी गुणी वादक के अधरों पर धरी यही मुरली संगीत रसिक जनों को अमृतरस से सराबोर कर उठती है। आज से लगभग अठारह वर्ष पूर्व मैं अपने पति की देखभाल के लिए इलाहाबाद के अस्पताल में थी। अस्पताल में, वह भी इलाहाबाद के उस अरण्य स्थित नए बन रहे अस्पताल में, सन्ध्या घनीभूत होते ही उदासी का गह्वर गला घोंटने लगता था, अँधेरा होने से पहले ही सियारों की 'हुआ-हुआ' वातावरण को और भी मनहूस बना देती थी। एक दिन आधी रात को नींद टूटी तो सुना कोई करुण स्वर में बंसी बजा रहा था। न जाने कौन-सा राग था किन्तु दोनों निषादों के स्पर्श में मंद्र सप्तक के मेघ का स्पष्ट संकेत था। लग रहा था कोई अपनी ही वेणुध्वनि से मुग्ध शिल्पी मग्न चैतन्य होकर स्वरों में डूब-उतरा रहा था। स्वरों की ऐसी विलक्षण परिक्रमा वैदग्ध्य के बिना सम्भव नहीं हो सकती, पर कौन था यह शिल्पी? कोई मरीज या कोई संगीत रसिक डॉक्टर? दूसरे ही दिन मेरी जिज्ञासा का उत्तर स्वयं मिल गया। अपने नन्हे पुत्र की शल्यक्रिया के लिए रघुनाथ सेठ अस्पताल में मेरे ही प्रतिवेशी थे। "मरीज़ों की नींद खराब न हो, इसी से रज़ाई से मुँह ढाँपकर बजा रहा था, सोचा था आवाज बाहर नहीं जाएगी पर देखिए ना, आपको भी जगा दिया।" उन्होंने खिसियाये स्वर में कहा, मैं उन्हें कैसे विश्वास दिलाती कि उस जगाने के लिए मैं उनकी कृतज्ञ थी।

चार भाई और तीन बहनों के भरे-पूरे एक मध्यमवर्गीय परिवार में जन्मे रघुनाथ सेठ को संगीत की प्रेरणा मिली अपनी जननी से, जो नित्य अपने भजन-कीर्तन से, अबोध पुत्रों को अनजाने ही जन्म से संगीत की घुट्टी पिलाती

रहीं। परिवार में भाई काशीनाथ ही थे वंशीवादक। रघुनाथ भी कभी वंशीवादक के रूप में ख्याति प्राप्त करेंगे, यह शायद कभी किसी ने सोचा भी नहीं था। पिता नौगाँव में पोलिटिकल एजेंट के दफ़्तर में नियुक्त थे, वहीं रघुनाथ की प्रारम्भिक शिक्षा आरम्भ हुई। बड़े भाई की वंशी को वे सदा लोलुप दृष्टि से देख-भर सकते थे, वे उन्हें अपनी वंशी छूने भी नहीं देते थे। "एक दिन हमने भाई की वंशी रख ली, बाद में उन्हें पत्र लिखा कि वंशी हमारे पास है।" वंशी के साथ-साथ रघुनाथ भाई की प्रतिभा भी अपने साथ ले आए। अग्रज पिछड़ गए, अनुज ने प्रभूत ख्याति प्राप्त की।

इलाहाबाद आकर उन्हें मनचाहा वातावरण मिल गया। आकाशवाणी में नियुक्ति हुई और दिन-रात विभिन्न घरानों के सुख्यात गायक-गायिकाओं को सुनने का अवसर मिलने लगा। "हम सुनते और सीखते कि कैसे विभिन्न घरानों के गायक, एक ही राग को विभिन्न ढंगों से प्रस्तुत करते हैं। उनके प्रयोग हम अपनी वंशी में उतारते रहते।" वहाँ संगीतकारों को सुनने का अवसर तो मिलता ही, सुमित्रानन्दन पंत एवं इलाचन्द्र जोशी जैसे साहित्यकारों का सुखद साहचर्य भी अनायास ही मिल गया। किन्तु आकाशवाणी के समयबद्ध कार्यक्रमों का पूर्वनिर्धारित अंकुश उन्हें धीरे-धीरे कोंचने लगा। तत्कालीन प्रसिद्ध वंशीवादक पन्नालाल घोष के चरणों में बैठकर सीखने की अदम्य इच्छा, रघुनाथ को बम्बई खींच ले गई। उस महानगरी में न उनका किसी से परिचय था न रहने का ठौर-ठिकाना। उनके वे दिन अत्यधिक संघर्षपूर्ण थे, उन्होंने मुझे बताया कि कैसे वे पैदल चलकर, लम्बी दूरी पारकर पन्नालालजी के पास जाते, उन्हें भी कभी समय रहता कभी नहीं, किन्तु सुयोग्य गुरुशिक्षा का वही जल-बिन्दु निपात, उनके घट को भर गया। अनेक कठिनाइयों से जूझते-जूझते कभी-कभी वे हिम्मत हारने लगते, उन्हें लगता प्राणों से प्रिय वंशी पर उनकी पकड़ शिथिल हो रही है, क्यों न फिर आकाशवाणी की ही नौकरी कर लें किन्तु फिर विजय वंशी की होती और वे दुगुने उत्साह से जुट जाते।

कभी-कभी लगता है, यह लगन हमारे आज के शिष्यों में नहीं रह गई है। कुछ वर्ष पूर्व मैं नेशनल आर्काइव के लिए पण्डित कृष्णराव शंकरजी का साक्षात्कार ले रही थी, उन्होंने कहा था, "आज के शिष्य में कुछ सीखने का धैर्य ही कहाँ रह गया है? वह तो अब अहंमत्त हो भस्मासुर की भाँति, स्वयं गुरु को ही भस्म करने को सदा तत्पर रहता है। जल्दी-जल्दी सीखा और बन

गए पण्डित। हम लोग पाँच वर्ष की उम्र से पिता के साथ संगीत के जलसों में जाते थे, घण्टों स्वरों के उतार-चढ़ाव को सुनते थे, दिन-रात रियाज करते थे तब कहीं मंच पर गाने का साहस कर सकते थे। राज्याश्रय भी था, पुरस्कार भी थे किन्तु दोनों ने सदैव कलाकार को दिशा-संकेत ही दिया, भ्रष्ट नहीं किया।"

हमारी भारतीय कला की विशेषता है उसका सशक्त आत्मिक पक्ष, पाश्चात्य संगीत की भाँति केवल संहति या 'हारमनी' को ही हमारा संगीत सबकुछ नहीं मानता, इसी से जब कभी पूर्वी एवं पश्चिमी संगीत की युगलबंदियाँ होती हैं तो पूरब पूरब है, और पश्चिम पश्चिम की उक्ति सार्थक लगने लगती है। भारतीय संगीत का प्राण है 'गमक'। कम्पन, आन्दोलन, मीड़, कण, गिटकिरी, मुरकी इत्यादि का प्रयोग पश्चिम के संगीत में असम्भव है। उनकी 'हारमनी' का अर्थ ही है कि प्रत्येक स्वर से तृतीय स्वर का निरन्तर प्रयोग हो, ऐसा प्रयोग भारतीय संगीत के लिए यदि सम्भव भी हो तब भी उसके लिए क्षतिकर है। ऐसे आयोजन भले ही सुखश्राव्य हों, पूर्व-पश्चिम की इस मिश्रण की अभिज्ञता हमें किसी विशेष उपलब्धि से समृद्ध नहीं करती। रघुनाथ सेठ ने यद्यपि ऐसे प्रयोगों के सफल प्रदर्शन पश्चिम में किए हैं, हालैण्ड में जर्मनी के क्रिस्ट हिंज के साथ, अमेरिका में हर्बिमन, पाल हौर्न के साथ।

वंशीवादन में रघुनाथ की एक मौलिक देन है, उनकी एक और सूझ। उनके कथनानुसार कई राग ऐसे होते हैं जिनमें मध्यम-पंचम के बीच, मीड़ का होना आवश्यक है, कभी-कभी 6 छिद्रों में इनकी परिवेशना कठिन होती है, सातवाँ छिद्र अँगुली से बजाने के लिए कष्टकर हो उठता है, या तो फिर बहुत लम्बी अँगुलियाँ हों, पर उन्हें भी कोई कहाँ तक फैला सकता है? इसीलिए सातवें छिद्र को, कुछ निकट बनाया गया। फिर भी समस्या नहीं सुलझी, इसी कठिनाई को दूर करने के लिए रघुनाथ ने एक 'की' बनाई, इससे दक्ष वादक विशुद्ध मध्यम-पंचम की मीड़ प्रस्तुत कर सकता है। उदाहरणार्थ मालकौंस में धैवत मिलता है, 'की' लगाने से मन्द्र में मध्यम मिल जाता है, म ध की मीड़, इसकी सहायता से वंशी में भी सम्भव हो जाती है।

मैंने रघुनाथ सेठ का वंशीवादन अनेक बार सुना है, संगीत के अखिल भारतीय कार्यक्रम में भी, अस्पताल में रजाई के भीतर बजाई जा रही वंशीध्वनि में भी। इसी वर्ष, प्रायः नित्य ही प्रातःकाल वरली स्थित शिव-मन्दिर के दर्शन

को जाती थी, मन्दिर के दूसरे छोर पर ही रघुनाथ का फ्लैट था। प्रातःकाल के उस धुँधलके में जब वरली की मुखर सड़क निःस्तब्ध पड़ी होती थी, वंशी की ध्वनि वैतालिक की मिठास का आभास देती थी। मैंने एक दिन पूछा तो बोले, "हाँ, वही समय मुझे रियाज के लिए ठीक लगता है, चारों ओर निःस्तब्धता का गांभीर्य, यही मुझे चाहिए, तब ही मैं तन्मय एकाग्रता से घंटों वंशी बजा सकता हूँ।"

आज, ऐसी एकाग्र तन्मयता न श्रोता के लिए आवश्यक रह गई है न संगीतकार के लिए। श्रोता कभी भी टेप कर उस परिवेशित संगीत का आनन्द ले सकता है। जब श्रोता के हृदय में एकाग्रता नहीं रहती तो संगीतकार में ही एकाग्रता कैसे रह सकती है? पहले श्रोता, आनन्द में निमग्न हो कला का आस्वादन करता किन्तु शैल्पिक प्रयोग ने आज प्रत्येक कला को संस्करण सुलभ कर दिया है। हम आज कलाकृतियों के नकली रूप का ही आस्वादन करने के अभ्यस्त हो गए हैं। संभवतः यही कारण है कि प्रचार-प्रसार से दूर स्वयं अपने सुदृढ़ दुर्ग में बन्द रहकर जो कलाकार निष्ठा से अपनी कला की सृष्टि में निमग्न रहता है, उसे मान्यता यदा-कदा ही मिल पाती है। यही कारण है कि रघुनाथ को भी वह मान्यता आज तक नहीं मिल पाई जो उन्हें मिलनी चाहिए थी। वैसे, शायद ही कोई ऐसी डाक्यूमेंटरी होगी, जिसका संगीत उन्होंने न बाँधा हो, साथ ही लता मंगेशकर, भूपेन्द्र, मन्ना डे, महेन्द्र कपूर, सुरेश वाडकर, अनुराधा पौडवाल आदि का संगीत निर्देशन किया है, विदेशों में कई सफल कार्यक्रम दिए हैं, कितने ही एल॰ पी॰ बने हैं, किन्तु सम्भवतः इसी ने उनके वादन पक्ष को लेकर आलोचकों को मुखर कर दिया कि वह व्यवसाय से जुड़ गए हैं। मैं तो सोचती हूँ यह उनका सराहनीय पक्ष है, फिल्मों में जैसा कर्णकटु संगीत लोकप्रिय होकर लोगों की निम्न रुचि जगा रहा है उसके लिए आवश्यक है कि उन्हें सुयोग्य व्यक्ति का संगीत-निर्देशन मिले—क्या श्री भीमसेन जोशी किसी चलचित्र में संगीत नहीं दे रहे हैं? और क्या इससे उनके उत्कृष्ट स्तर के गिरने की कोई सम्भावना हो सकती है। कभी नहीं! लोकप्रियता पाने के लिए यदि कोई कलाकार जानबूझकर धरती-आकाश एक करता है तो वह लोकप्रियता कालजयी नहीं हो सकती किन्तु यदि अपनी प्रतिभा के बूते उसे लोकप्रियता प्राप्त होती है, तो वह स्वयं सरस्वती का अनुग्रह है, उसकी कभी क्षति नहीं हो सकती। स्वयं रघुनाथ के शब्दों में, "संगीत-साधना मेरे लिए एक सतत प्रवाहमयी नदी की धारा है जो मुझे नित्य

जीवन-शक्ति देती रहती है। प्रत्येक पद पर वह मुझे अपने अस्तित्व की अभिज्ञता से झकझोरती रहती है एवं नित्य नवीन प्रेरणा देती है। मेरे लिए वंशी एक सशक्त आयुध है जो नैराश्य, क्लान्ति एवं तनाव के कठिन क्षणों को भी पराजित करने में सक्षम है। मैं इस भावना का अनुभव कर सकता हूँ किन्तु व्यक्त करने में असमर्थ हूँ। वंशी के स्वरों से लुकाछिपी के खेल में ही मुझे सर्वाधिक आनन्द आता है। अपनी कला या घराने के विषय में क्या कहूँ? इस संदर्भ में एक घटना स्मरण हो आती है। एक बार श्री लक्ष्मीलाल पित्ती के निवास स्थान पर एक संगीतानुष्ठान किया गया। प्रख्यात चित्रकार हुसेन भी वहाँ आमंत्रित थे—उन्हें तूलिका थमा दी गई और मुझे वंशी। मुझसे फरमाइश की गई, मैं वंशी पर गोरख कल्याण बजाऊँ और श्री हुसेन से आग्रह किया गया कि वे उस राग को चित्रांकित करें।

"उन्होंने मुझसे पूछा—'आपकी स्टाइल क्या है?'

"मैंने पूछा—'आपकी?'

"हम दोनों ही इस दुरूह प्रश्न की व्याख्या नहीं कर पाए।"

जितनी ही बार मैंने रघुनाथ का वंशीवादन सुना है एक अभिज्ञता अत्यन्त सुखद लगी है—जटिल लयकारी के बीच, पुनः मुखड़े में प्रत्यावर्तन, वह भी इस सहजता से जैसे सीढ़ियाँ उतर रहे हों। यह एक कटु सत्य है कि इस युग में, अनेक औद्योगिक एवं प्रौद्योगिक साधना के बूते जिसने अपने को प्रतिष्ठित कर लिया वही आज श्रेष्ठ कलाकार है। चमकीले चीनी रेशम के कढ़े कुर्ते का परिधान कन्धे पर पूर्वाभ्यास की गई उदासीनता से डाला गया जामेबार शाल, सोने के बटन, कार्यक्रम के पूर्व बाँधी गई स्वयं अपनी ही आत्मश्लाघा से ओतप्रोत भूमिका, मंच पर तीन-चार विदेशी चेलों की उपस्थिति ये सब आज मंचीय शिष्टाचार के लिए आवश्यक हैं।

लन्दन के अनेक दूरदर्शनी कार्यक्रमों में मैं ऐसे एक नूर चेहरा सौनूर परिधान के अनेक लटके देख चुकी हूँ। रघुनाथ का सरल व्यक्तित्व सौभाग्य से इन लटकों से अछूता ही रह गया है। उनकी सरला सहचरी का सहयोग उन्हें उनके उस एकान्त वंशीवादन में कोई व्याघात नहीं पड़ने देता। सीधा-सादा परिवार, न कोई सज्जा, न आडम्बर, एक ओर धरा नाना आकार की वंशियों का स्तूप और वहीं जमीन पर बिछी चाँदनी पर बैठ उनका वंशीवादन, मुझे मंच पर आसीन समय के अंकुश से बद्ध वंशी बजा रहे रघुनाथ के वेणुवादन से कहीं अधिक मधुर लगा था।

रघुनाथ की यही आत्मलोपी प्रवृत्ति उनका दुर्लभ गुण है। प्रसिद्ध विदेशी कलाविचारक जाक मारितै ने इसी प्रवृत्ति को पूर्वीय कला का विशेष गुण माना है। पूर्व का कोई भी सच्चा कलाकार अपने अहं को अपने कृतित्व में नहीं उभरने देता। उसका पहला कर्त्तव्य रहता है, अपने को भूल जाना।

ईश्वर करे रघुनाथ प्रशस्ति कामना से अछूते ऐसे ही तन्मय कलाकार बने रहें।

जो मिले सुर

विभिन्न संगीतानुष्ठानों में, जिन्हें न जाने कितनी बार सुना है, जिनकी स्वतःस्फूर्त, आवेदनसमृद्ध गायकी ने, अपने स्वर के वैचित्र्य से रसोत्तीर्ण कर, न जाने कितनी बार संगीत के आनन्दार्णव में, आकंठ डुबोकर रख दिया है, जिनकी तारसप्तक में कंठ-प्रक्षेपण की अद्भुत दिव्य दक्षता, सुन-सुनकर भी कभी मन नहीं भरा, उनका एक सर्वथा नवीन सरल रूप, सम्प्रति एक घरेलू परिवेश में देखने को मिला तो समझ में आ गया कि इस महान् संगीतकार ने, यह दक्षता कैसे प्राप्त की। उनकी श्रेष्ठ गायकी के अभिनव्य का मूलधन है—उनकी सहज, सरल निष्ठा। जो व्यक्ति अपनी प्रतिभा से अनभिज्ञ रहता है, उसी की प्रतिभा, अविकृत हो प्रतिपल निखरकर बुद्धिदीप्त पुनर्विन्यास से स्वयं अलंकृत होती रहती है। उनकी स्वर-संगीत के सुचिंतित वैशिष्ट्य का वर्णन करने की न मुझमें योग्यता है, न सामर्थ्य, किन्तु, इस बार जितना ही उन्हें देखा, लगा, इस अद्भुत कंठ-शिल्प की वयस, भले ही चेहरे पर छाप छोड़ रही हो, कंठ की वयस यौवन की देहरी पर ही थमककर खड़ी हो गई है और सदा वहीं चौखटा थामे खड़ी रहेगी।

जीवन में अनेक सुख्यात गायक-गायिकाओं को सुनने-देखने का अवसर विधाता ने प्रदान किया। तब की गायकी और आज की गायकी में निरन्तर घट रहे परिवर्तन को भी लक्ष्य किया है। इसमें दो मत हो ही नहीं सकते कि तब जो धैर्य और स्थैर्य, श्रोताओं और संगीतकारों में था, वह समय की तीव्र गति के साथ पद रखता-रखता, कहीं खो गया है। मुझे वे सुदीर्घ गोष्ठियाँ याद हो आती हैं, जब सारी-सारी रात संगीत की उद्वेलित तरंगों में डूबते-उतराते बीत जाती थी। रामपुर और ओरछा में कैशोर्य बीता। दोनों ही थीं संगीत-प्रेमी रियासतें। प्रायः बेगम अख्तर, कज्जन, राधा रानी, दुलारी, सिद्धेश्वरी, मुनीर

जान वहाँ आतीं। मेरे पिता रामपुर नवाब के गृहमन्त्री थे। मेजबानी का प्रबन्ध उन्हें ही सम्हालना पड़ता। अतः जाने-अनजाने संगीत की घुट्टी, स्वयमेव कंठ में उतरती गई। वे भारी-भारी पेशवाज, शुतुरमुर्ग के अंडों-सी मोतियों की मालाएँ, शमातुलम्बर, हिना की मदमस्त खुशबू में डूबे से दुर्लभ राग और रागिनियाँ, फूलों के गजरे, चिक की चिलमन के पीछे मन्त्रमुग्ध होकर सुनता पूरा अन्तःपुर! मुझे याद है जब ओरछा युवराज राजाबहादुर की सगाई के जल्से में गाने के लिए पधारी सिद्धेश्वरी, मेघ राग गा रही थीं और समा बँध ही रहा था कि कुछ पेशेदार आपस में फुसफुसाने लगे। उन्होंने चट गाना रोक दिया। चेहरा तमतमा उठा और उठने को तत्पर होकर गरजीं, "अन्नदाता, पहले सुननेवाले तैयार कर लीजिए, तब सुनानेवालों को बुलाइए!"

स्वयं महाराज वीरसिंहजू देव ने बड़े मान-मनुहार से उन्हें मनाकर रोका और एक ही गरज में सचमुच सुननेवाले सुनना सीख गए।

आज सौभाग्य से, कलापारखी श्रोताओं का अभाव नहीं है, भले ही बहुत कम श्रोताओं को संगीत का वास्तविक ज्ञान हो, किन्तु भला हो संस्कृति के प्रति हमारी नवीन निष्ठा का, आप किसी भी पाश्चात्य सभ्यता-प्रेमी गृह में जाइए, आपको पंडित भीमसेन जोशी, मल्लिकार्जुन मंसूर, गंगूबाई, किशोरी, मालिनी, पंडित जसराज के कैसेट सुनने को मिल ही जाएँगे।

एक बात मैंने और भी देखी है, जैसे पहले राज्याश्रयी हो, संगीत और संगीतकार दोनों लाभान्वित होकर दिन-प्रतिदिन निखरते थे, वैसे ही आज भारत के अनेक समर्थ, समृद्ध व्यक्ति, या अपने गृह में या किसी मंच पर संगीत एवं संगीतकारों को सींचने लगे हैं। यह वास्तव में एक शुभ लक्षण है। यहीं पर स्पिक मैके का योगदान भी उल्लेखनीय है। युवा पीढ़ी इस ओर बड़े उत्साह से जुटी है, किन्तु इसका एक दुर्बल पक्ष भी है। ऐसे आयोजनों के आयोजक, स्वयं अपने अहं को प्रश्रय देने, बड़े-बड़े कलाकारों के कन्धे पर अंतरंगता में हाथ रखने की क्षमता हासिल करने, यदि राजनीति के क्षुद्र मोहरे चलाने का प्रयास करने लगे, तो यह प्रयास निष्फल ही सिद्ध होगा।

स्वयं पण्डित भीमसेनजी ने स्वीकार किया कि स्पिक मैके द्वारा बहुत प्रशंसनीय कार्य हो रहा है, हम संगीत की बारीकियाँ समझें, न समझें, समझने की चेष्टा तो कर रहे हैं। जब एक बार मनुष्य अच्छे भोजन का स्वाद ले लेता है तो कुपथ्य को स्वयं ही अनिच्छा से खिसका देता है। वर्षों पूर्व जो बड़ी पते की

बात सिद्धेश्वरीजी ने कही थी, 'पहले सुननेवाले तैयार कर लीजिए, फिर सुनानेवाले को बुलाइए', स्पिक मैके को यही करना चाहिए—आज कोई भी शहर ऐसा नहीं होगा, जहाँ गुणी श्रोता, संगीत के वास्तविक जानकार न हों। उनको यथोचित सम्मान देना, ऐसी संस्थाओं का पहला कर्त्तव्य है। पर होता यह है कि ऐसे अवसरों पर उन्हें कभी-कभी आमन्त्रित ही नहीं किया जाता। यदि वे ही वंचित रहें तो समीक्षक ही कहाँ जुटेंगे?

कभी हजारीप्रसादजी ने कहा था कि आज के आलोचक तो पुस्तक बिना पढ़े ही उसकी आलोचना कर बैठते हैं, वह भी ऐसी कि त्रैलोक्य विकम्पित! यही उस दिन पंडितजी भी कहने लगे, "म्यूजिक क्रिटिक तो आज सब बन जाते हैं।"

अतीत के किसी संगीतकार के लिए लिखी गई किसी संगीत-समीक्षा से वे क्षुब्ध थे, "अजी, जब आपने उन्हें कभी सुना ही नहीं तो लिख कैसे सकते हैं?"

"आप तो विदेश जाते रहते हैं। वहाँ के श्रोता क्या भारतीय शास्त्रीय संगीत को सराह पाते हैं?"

"वहाँ के श्रोता, वास्तविक अर्थों में श्रोता हैं।" पंडितजी बोले, "मैं अभी जापान गया था, जिस धैर्य से श्रोताओं ने दुरूह भारतीय शास्त्रीय संगीत को सुना और सराहा, वह मेरे लिए एक सुखद अनुभव था...अफगानिस्तान तो खैर भारतीय शास्त्रीय संगीत से अपरिचित नहीं है, किन्तु अमेरिका, जापान एक सर्वथा भिन्न परिवेश, भाषा, संस्कृति के बावजूद भारतीय शास्त्रीय संगीत को सराहना सीख गए हैं, वह वास्तव में एक मधुर अनुभूति रही।"

उस दिन पंडितजी के साथ पूरे दो घंटे बिताने का सौभाग्य प्राप्त हुआ। डॉ. सुशीला मिश्रा टेप पर उनका साक्षात्कार ले रही थीं, उन्होंने मुझे भी सुअवसर दिया कि चाहूँ तो पंडितजी से कुछ प्रश्न पूछूँ, पर मैं क्या पूछती? मुझे लगा, ऐसे दुर्लभ व्यक्तित्व पर लेखनी का फोकस व्यर्थ है। ऐसा व्यक्तित्व तो स्वयं ही उठने, बैठने, बोलने, बतियाने में पद-पद पर अपना साक्षात्कार लिपिबद्ध करता जाता है। उस सन्ध्या को उत्तर-दक्षिण गोष्ठी में उनका गायन था। पंडितजी को कुछ राग-रागिनियों की लिस्ट दे दी गई थी। "आजकल क्या गायेंगे आप?" किसी ने पूछा।

"आजकल दिमाग में बिहाग ही घूम रहा है—वही गाऊँ या फिर तिलक

कामोद।"

किन्तु, गाया उन्होंने यमन था। फिर जोगिया, भीम पलासी और समापन किया था अपने उस विख्यात मनमोहक भजन से, जो ब्रह्मानन्द का नहीं रहा, पंडित भीमसेन का ही होकर रह गया है—'जो भजे हरि को सदा, सोई परम पद पावेगा।'

मुझे उस दिन उनकी सर्वश्रेष्ठ प्रस्तुति जोगिया ही लगी थी—'पिया के मिलन की आस...' उनकी रससिद्ध मुद्राएँ, कभी आकाश को उठी उनकी प्रलम्ब भुजा, कभी कंठ में साकार हो गई विरहिणी की व्यथा...बार-बार ये पंक्तियाँ भी जैसे उस एक पंक्ति में एकाकार हो गई थीं :

'गाढ़ोत्कंठा गुरुषु दिवसेष्वेषु
गच्छत्सु बालां
जातामन्ये शिशिर मथितां
पद्मिनी वान्यरूपाम्

शिशिरमथिता पद्मिनी की महती वेदना, वही उत्कंठा गाढ़ से गाढ़तर होती, उसी पंक्ति में बार-बार प्रखर हो रही थी—'पिया के मिलन की आस' कभी विधुर, कभी मधुर, कुछ घंटों पूर्व पंडितजी की ही एक बात याद हो आई—खाँ साहब के गायन की चर्चा हो रही थी, जब सुशीलाजी ने उनके आवाज बदलने की बात कही तो पंडितजी ने कहा था, "कोई भी ऐसा गायक नहीं, जो आवाज नहीं बदलता, कभी धीर, कभी स्निग्ध, कभी बुलन्द, कभी कोमल—यह भी एक कला है।"

कंठ का यही बहुरूपिया कलेवर खाँ साहब में भी था, फैयाज खान में भी। यही चमत्कार पंडितजी के सिद्धकंठ में भी है। तारसप्तक में जहाँ सहस्रों मेघों का गुरुगर्जन है, वहीं भद्रसप्तक में शीतल स्निग्धता :

तीरथ तो सब करे
वासना ना मरे

दूसरा जो वैशिष्ट्य मुझे उनके गायन में दृष्टिगत होता है, वह है उनके मंचीय शिष्टाचार की चरम उपलब्धि। लखनऊ के इसी मंच पर मैंने इस शिष्टाचार का नितान्त अभाव भी देखा है। परम गुणी, ख्यातिप्राप्त एक संगीतज्ञा के द्वारा, शहर की ही एक युवा प्रतिभाशाली गायिका को भरी सभा में डपटते देखा तो चित्त खिन्न हुआ था। यह भी क्या कि खचाखच भरे हाल

में श्रोता कान लगाए प्रतीक्षा में बैठे हैं, किन्तु सुगायिका या सुगायक या सुवादक को मूड बनाने में आवश्यक अबेर हो रही है। उधर न गंभीर चेहरे पर सामान्य स्मित की रेखा है, न निर्विकार मुद्रा का मेघखण्ड ही हट रहा है। पुरानी पीढ़ी का यह मंचीय आभिजात्य कोई पंडितजी से सीखे! मंच पर आते हैं तो स्वयं ही यमन की पृष्ठभूमि तैयार हो जाती है। नवीन पीढ़ी में यह मंचीय शिष्टाचार मैंने तबलावादक जाकिर हुसैन में देखा। तबले पर उनकी अँगुलियाँ थिरकीं और ओठों पर हँसी से पूरा मंच गुलजार हो उठता है।

पंडितजी का गायन चल रहा था, पूरे हाल में सुईपटक सन्नाटा था। उनकी पत्नी वत्सलाजी मेरे पार्श्व में बैठी थीं। मैं बार-बार कनखियों से देख रही थी। उस शान्त, सौम्य चेहरे पर एक सन्तुष्ट स्निग्धता थी। नित्य ही तो वे अपने मर्मज्ञ गायक सहचर की दिगंतव्यापी कीर्ति के ऐसे अनेकानेक पर्व देखती रहती होंगी, कैसा लगता होगा उन्हें? अभिज्ञान शाकुन्तल में एक जगह कहा गया है कि रमणीय वस्तुओं को देखकर और मधुर शब्दों को सुनकर, सुखी जनों में भी एक पर्युत्सुकी भाव अर्थात् व्याकुलता आ जाती है। क्या वही व्याकुलता उस चेहरे को ऐसा स्निग्ध बना रही थी?

वत्सलाजी स्वयं सुगायिका हैं। वास्तविक अर्थ में उनकी सच्ची सहचरी मंच पर पंडितजी के पार्श्व में बैठी रहें या हम दर्शक-श्रोताओं के साथ, कहीं न कहीं उनकी अंतर्निहित अद्वैत भावधारा, निश्चित रूप से पंडितजी के कंठ को सींचती रहती है। इसकी पुष्टि स्वयं पंडितजी उस दिन अपने साक्षात्कार में कर चुके थे।

"वत्सलाजी का आपके जीवन में क्या योगदान रहा?"

पंडितजी का उत्तर, तत्काल तरकस के तीर-सा छूटा था, "देखिए, जीवन में बड़े से बड़ा कलाकार भी कभी-कभी बेसुरा हो उठता है। जब कभी कोई ऐसा क्षण आया है, इन्हीं ने मेरा स्वर सम्हाला है।"

कैसा गूढ़ सत्य था उनके इस कथन में। सप्तपदी के सात फेरों के श्लोकों में 'सदा सुखदुःखानुगामिनी' ही में एक सफल सहचरी की परिभाषा निहित है, वही परिभाषा वत्सलाजी में साकार हुई। गम्भीर, सौम्य, मृदुभाषिणी, निरन्तर छाया-सी पति के पीछे-पीछे चलती उनका स्वर साधती, वत्सला स्वयं उनका स्वर बन गई हैं। लगता है पंडितजी का निवेदन 'मिले सुर में सुर' उन्हीं के लिए है।

जो मंच पर स्थित होते ही एक ऐसे गंभीर सिद्ध लगने लगते हैं कि छूने में भी भय हो, वही अनौपचारिक गोष्ठी में हैं एक अत्यन्त सरल व्यक्ति। खाने के बाद, मैंने अपने जर्दे की चुटकी ली तो बोले, "लीजिए, यह चखकर देखिए", सरौता तो उनके साथ ही चलता है...तम्बाकू की चुटकी भी चलती रहती है, लेकिन उनका तम्बाकू भी उनके गुरुगम्भीर गायन की भाँति सामान्य हाजमे वाला नहीं पचा सकता! मैंने बढ़कर उनकी दी चुटकी मुँह में भरी, तम्बाकू क्या था पूरे देसी तमंचे का बारूद था। थूकूँ तो कहाँ, कंठ में ही नीलकंठ बन घुटक लिया। घुटका क्या कि ब्रह्मांड की परिक्रमा कर ली—इस ऐटमिक चुटकी के बाद पंडितजी गा कैसे पाते हैं?

"क्यों, कैसा लगा?" उन्होंने पूछा।

शायद मेरे माथे पर पसीना देख लिया था। मैं किस मुँह से कहती कि, "जो खाएगा, सोई परम पद पाएगा..."

इतना ही जानती हूँ, जिस दिन उस दुर्लभ चुटकी को कंठ में घुटक, सहन करने की क्षमता हासिल कर लूँगी, उसी दिन समझूँगी कि उस दिव्य कंठ को सराहने की कुछ योग्यता तो हासिल कर ही ली है।

स्वर-लय नटिनी

आज, समाचारपत्र का पहला पृष्ठ देखा, तो वह लगभग विस्मृत हो उठा हँसमुख चेहरा जीवन्त हो गया। 'प्रख्यात रवीन्द्रसंगीत गायिका कनिका वंदोपाध्याय का, कलकत्ता के अस्पताल में निधन'। मैं सहसा अपनी स्मृतियों का जंग-लगा ताला टटोलने लगती हूँ। कैसा आश्चर्य है कि यह ताला अब बिना कुंजी के हाथ का स्पर्श पाते ही स्वयं खट से खुल जाता है! जैसे-जैसे उम्र बढ़ती है, वैस-वैसे जिज्ञासा स्वयं विलुप्त होती जाती है—क्या होगा? की हमें फिर चिन्ता नहीं रह जाती, क्या हुआ था? इसी की स्मृति प्रबल हो उठती है। अतीत, क्षण-भर में वर्तमान को बहुत पीछे ढकेल देता है।

शान्तिनिकेतन का सुदीर्घ प्रवास, मेरे जीवन में सदा महत्त्वपूर्ण रहा है, और अन्त तक रहेगा। स्वयं गुरुदेव से लेकर, श्री हजारीप्रसाद द्विवेदी, आचार्य क्षितीशमोहन सेन, प्रभात मुकर्जी, सुखमय घोष, जैसे दुर्लभ गुरुजनों की शिक्षा, अमिता सेन, कनिका, ज्योतिष देववर्मन, शान्तिदेव, शैलजा रंजन जैसे प्रतिभाशाली व्यक्तियों का स्नेहपूर्ण साहचर्य रक्तमज्जा में अभी तक रिसावसा है। ब्रह्मा के नाभिकुंड में भरे अमृत-सा वह कभी शेष नहीं हो सकता। कनिका तब मुखोपाध्याय थी, पिता सत्य दा आश्रम पुस्तकालय के लाइब्रेरियन थे। अत्यन्त अनुशासनप्रिय, सौम्य, गम्भीर व्यक्ति। 'गुरुपल्ली' में ही उनका फूस से छाया छोटा-सा मकान था, जिसमें वे अपने बृहत् परिवार का पालन-पोषण, सत्य दा कैसे कर पाते थे। कनिका उनकी सबसे बड़ी पुत्री थी, उसके बाद सींक से भी दुबली कई बहनें थीं जिनकी गोद में एक-न-एक भाई या बहन अवश्य रहता। कनिका का 'डाकनाम' था मोहर, हम उसे इसी नाम से जानते थे। कब और कैसे, वह मेरी अभिन्न मित्र बन गई, मैं स्वयं ही नहीं जान पाई।

बुद्धवार को आश्रम की छुट्टी रहती, और मैं उस दिन उसके यहाँ अवश्य

जाती। लैया, संथाली गुड़, बेर का आचार लाकर मोहर की माँ मुझे थमातीं—खाओ माँ, आर तो किछुई नैंई एकटू घोल करे दी? (खाओ माँ, और तो कुछ भी नहीं है, थोड़ा-सा मठा बना दूँ?)

किन्तु प्रेम से थमाई उस तश्तरी का नाश्ता मुझे अमृतोपय लगता। बहुत वर्षों पश्चात् मैंने इन्हीं आँखों से मोहर का वैभव भी देख लिया। सचमुच ही वह अपने परिवार के लिए सोने की मोहर बन गई थी। जितनी ही बार, उसकी सजी-धजी नवीन कोठी देखती, उतनी ही बार उसकी सरला जननी की स्नेह दृष्टि करती आँखें याद हो आतीं। 'आर तो किछूई नैंई माँ, एकटू घोल करे दी?' कनिका, इकहरे बदन की लमछर, गेहुँए रंग की आकर्षक लड़की थी। जैसी प्रत्याशा उसकी उम्र की लड़कियों में आज आ गई है, जैसे एक संगीत एल्बम बनते ही आज की किशोरियाँ, स्वयं अपनी ही छवि पर न्यौछावर हुई जाती हैं, वैसी प्रत्याशा, वैसा अहंकार, उसे कभी छू भी नहीं पाया था। वह अपनी प्रतिभा से अनभिज्ञ थी, शायद इसीलिए उसके गायन में इतनी सहजता थी। उसे विधाता ने एक और गुण प्रदान किया था। शायद बहुत कम लोग जानते होंगे कि वह एक जन्मजात 'मिमिक' थी, नकल उतारने में उस्ताद। जिस व्यक्ति की वह नकल करती, उसकी आबेहूब छवि प्रस्तुत कर देती। एक बार हम सब 'यात्रा' (नौटंकी) देखने शिउड़ी गए। यात्रादल बाहर से आया था, टिकट था दो आना। नाटक का नाम तो याद नहीं किन्तु राधाकृष्ण की प्रेमगाथा पर आधारित था। पर्दा खुलते ही नकली बाल खोले उन दिनों का अत्यन्त लोकप्रिय गाना गाती एक गोपिका कृष्ण को ढूँढ़ने लगी :

ओरे नील जमुनार जल—
बौल रे आमाद बौल
कोथाय घनश्याम?

(अरे नील जमुना जल, मुझे बता मेरा घनश्याम कहाँ है?)

उन दिनों, नारी का अभिनय भी पुरुष ही करते थे। होंठों पर मूँछों की स्पष्ट रेखा, बाँहों में खेलती मांसपेशियों की मछलियाँ और मोटा कंठ स्वर। इतने ही में राधा प्रगट हुई—राधा के रूप में, एक विराट्काय भीमपुरुष साड़ी लपेटे, गोपिकाओं से लड़ने लगा। गर्दम स्वर में, साड़ी जाँघों तक उठाकर वह ठेठ वीरभूमि लहजे में बोला :

नंदगुस्यार छेलेर संगे, कखन हाँशियाही?
हाँशियाही तो बेश करहीं, तुदेर गैलो की?

(अरी बता तो, मैं कब नंदगुसाईं के लड़के के साथ हँस रही थी? हँसी भी तो जा खूब हँसूँगी—तेरे पेट में क्यों दर्द हो रहा है?)

उसकी तिर्यक् चितवन, कमर में हाथ रखने की कलह-प्रिय मुद्रा, वैसा ही गर्दम स्वर प्रस्तुत कर, घर लौटते ही कनिका ने अपनी अद्भुत प्रतिभा का झंडा अनायास की गाढ़ दिया था।

किन्तु अमृत का उत्स था उसके कंठ में, मीरा के भजन, कबीर के निर्गुन, नजरूल की, अतुलप्रसाद की गजलें—जिनमें नजरूल की 'ओरे बनेर हरिण आय' और अतुलप्रसाद की 'कत गान तो होला गावा, आर मिछे कैनो गावा—' जब वह आँखें मूँदकर इस गीत की अंतरा गाती तो वनवनांतर उस रस-वृष्टि से सराबोर हो उठते :

यदि आमार दिवा राति
केटै जावे बिना साथी
तबै कैनो बधूर लागी
मिछे पथ पाने चावा?

रवीन्द्र-संगीत की तो वह जन्मजात साधिका थी—किस-किस गाने से उसने यश एवं समृद्धि नहीं बटोरी? कहाँ तक याद करूँ? 'ओगो तूमी पंचदशी' या 'मेघेर परे मेघ जमेछे आंधार करे आशे' या 'वेदना की भाषाय' या 'बाजे करुणास्वरे?' क्या कंठ था और कैसी अपूर्व सहजता। उसका पहला रिकॉर्ड बनाकर, स्वयं श्री महलानवीस उत्तरायण आए थे। मैं भी कनिका के साथ सुनने गई। अपनी प्रिय आरामकुर्सी पर गुरुदेव बैठे थे आँखें मूँदें, बड़ी तन्मयता से अपनी रचना सुन रहे थे :

घरे तो भ्रमर एलो गुनगुनिये

इसके बाद, मोहर ने कभी पीछे मुड़कर नहीं देखा। उसके मधुर कंठ-स्वर ने कुबेर का स्वर्णछत्र ही उसके प्रांगण में गाढ़कर रख दिया। एक बार आचार्य क्षितीशमोहन सेन उससे मीरा का भजन सुनकर आत्मविभोर हो गए थे :

हेली मौसू अब हरिबिन
रहयो न जाय

'माँ तुई नाम करबी, जा लिखे ने' (माँ तू नाम कमाएगी, जा लिखकर रख ले)—उनकी भविष्यवाणी उनके जीवनकाल में ही साकार हो गई थी।

लगभग चालीस वर्ष के अंतराल को चीर मैं एक बार आश्रम की आपादमस्तक बदल गई छवि को देख रही थी। हिन्दी-भवन की स्वर्ण जयंती

में हम छात्र-छात्राओं को आमन्त्रित किया गया था।

'गुरुपल्ली' ढूँढ़ने निकली तो देखा गुरुजन ही नहीं 'गुरुपल्ली' भी विलुप्त हो गई है। यहीं तो सत्य दा का फूस की छतवाला मकान था। 'यह चिड़ियों का सुखधाम सखे!" चिड़ियाँ ही उड़ गईं तो घोंसले कहाँ रहेंगे? पता लगा, कनिका ने अब श्रीनिकेतन वाली सड़क पर मकान बना लिया है। वहाँ पहुँची तो अनेक परिचित चेहरे देखे, कोई व्हील चेयर पर, कोई वाकर का सहारा लिए, कुछ जा चुके थे, कुछ जाने को तत्पर! गौरी दी, श्री नन्दलाल बसु की पुत्री, उनके पुत्र विशूदा जिनका बनाया मेरा पोर्टेट, अभी भी मेरी दीवार पर टँगा है, अब बेचारे व्हील चेहर पर इधर-उधर घिसटते रहते। उनकी पत्नी प्रसिद्ध नृत्यांगना निवेदिता, पुत्र एक ही था, जिसे हम वर्षा बाबू कहते थे, विदेश चला गया और विदेश गया बेटा क्या सहज में हाथ में आता है? अन्त समय उसके कन्धे मिल जाएँ और माँ-बाप की चिता की परिक्रमा कर ले तो समझ लें, कानों में वासुदेव मन्त्र चला गया?

दिनकर कौशिक, जो कभी मेरे गाने के साथ बंशी बजाता था, उसकी स्नेहमयी पत्नी पुष्पा तर्वे। पूरी परिक्रमा कर कनिका का द्वार खटखटाया तो क्षीण स्वर में किसी ने पूछा—के रे? द्वार खुला था, मैं भीतर गई, मुझे देखते ही, पहले वह चकित होकर देर तक देखती ही रही फिर उसने बाँहें फैला दीं—। बड़ी देर बाद समझ में आया कि वह उठने में लगभग असमर्थ हो चली है। कैसा असाध्य रोग था। 'अचल रोग, जानीश'। यह अचल रोग कहलाता है, सब हड्डियाँ चक्का जाम। उसकी करुण हँसी कलेजा बींध गई—'की कष्ट रे बाबा—' वह फिर हँसी। क्या यह वही कनिका थी जो कभी अपनी क्षीण कटि की बंकिम कलहप्रिय मुद्रा में टिड्डे-सी फुदकती गाती थी :

हेंशेछी तो बेश करछी
तुदेर गैलोकी?

वह उस विराट् मकान में एकदम अकेली, कभी-कभी छोटी बहन आ जाती थी—कंठ में तो विधाता ने अमृत बूटी भर दी किन्तु सन्तान-सुख से वंचित कर दिया—वर्षों पूर्व, उसने एक बार गुरुदेव की दक्षिणी पद्धति में बाँधी बिदिश गाई थी—'बाजे करुणा स्वरे'

आज वही गूँज उसकी आँखों में उतर आई थी।

मेरे मुख से आती जर्दे की सुगंध, सहसा उसे फिर टटका कर गई—तुई जर्दा खाश ना की रे? वाह की सुन्दर गन्ध, दे ना एकटू (तू भी जर्दा खाने

लगी है क्या? वाह क्या खुशबू है, दे तो जरा–)

मैंने उसे अपनी डिबिया थमा दी–'तू रख ले, मैं तो जाते ही फिर ले लूँगी'।

यही नहीं, मैंने उसे वह चार पंक्तियाँ भी सुना दीं, जो लखनऊ के किसी नवाब ने अपने सहर्स से कही थी। वे अपनी डिबिया साथ लाना भूल गए थे और सहर्स के मुँह से आती सुगन्ध ने उन्हें हाथ फैलाने को विवश कर दिया था :

जा की ऐसी मोहनी
लाँबे जाके पात
लाख टके का आदमी
जाय पसारे हाथ!

चलने लगी, तो उसकी आँखें भर आईं–शायद मील का अन्तिम पत्थर पकड़े हम दोनों ही जान गई थीं कि यह मिलन, अंतिम मिलन ही रहेगा।

–तुझे देवी अट्टहास के मन्दिर की बात याद है?

–कैसे भूल सकती हूँ मोहर, आज भी याद कर रोंगटे खड़े हो जाते हैं।

–उसी दिन वह कापालिक हमारी बलि दे देता तो इस दीर्घ जीवन का दीर्घ अभिशाप तो नहीं झेलना पड़ता।

उस दिन, हम दोनों खोदाई नदी के पार, बड़े दुःसाहस से देवी दर्शन को पहुँचे थे। वह आश्रम के लिए वर्जित क्षेत्र था। सुना था, वहाँ अट्टहास देवी का एक सैकड़ों वर्ष पुराना जीर्ण मन्दिर है, वहाँ देवी की अट्टहास मुद्रा में एक अद्‌भुत मूर्ति है। एक दुर्वासा-सा क्रोधी कापालिक ही वहाँ पूजा-अर्चना करता है। जिसे चीमटा मारता है, फिर उसकी कोई इच्छा अपूर्ण नहीं रहती, किन्तु वही मदालस तान्त्रिक मानुष बलि भी दे सकता है।

हम पहुँचे तो अँधेरा होने लगा था, मन्दिर के बरामदे में अधजली धूनी की अवसन्न धूम्ररेखा से धूमित एक लम्बा-सा चीमटा गढ़ा था, अधखुले द्वार से देवी अट्टहास की लपलपाती जीभ स्पष्ट दिख रही थी। हम दोनों के कलेजे हिम हो गए और एक अज्ञात भय से रोंगटे खड़े हो गए थे। धूनी के पास, पेड़ का कटा तना सम्भवतः बलि के लिए धरा था। हमने आव देखा न ताव, पलटकर भागने को ही थे कि एक आबनूसी चेहरे का अर्धनग्न व्यक्ति, हाथ में बोतल लिए खड़ा हँस रहा था–दीदी मद खाबी? (दीदी लोग, शराब पिएँगी?)

हम दोनों की प्रत्युत्पन्नमति ने हमें कसकर चाबुक-सा मारा और हम बगटुट भागे।

—दीदी, दीदी गो मद निये जा।

उसका राशिभूत अट्टहास बड़ी दूर तक हमारा पीछा करता रहा। विधाता ने जैसे हम दोनों के पैरों में विद्युत संचालित कर दी थी। आज कनिका, शायद उसी मन्त्रपूत अट्टहास की गूँज से खिंचती, स्वेच्छा से मेरा हाथ विलग कर मुझे अकेली उसी अरण्य में छोड़ गई है। भले ही वह सदा के लिए बिछुड़ गई हो, मैं न उसे कभी भूल सकती हूँ, न उस कापालिक के अट्टहास को!

वे रहीम अब बिरछ कहँ

बचपन में हमें निंगल की कलम से श्रुतलेख लिखवाया जाता था, जिससे हमारी हस्तलिपि सदा सुन्दर बनी रहे। प्रथम पंक्ति गुरु लिखते और उन्हीं मुक्ताक्षरों को देख, हम वैसा ही खुशखत बनाने की चेष्टा करते। हमारे गुरु थे बचीराम लोहनी—गोरे-उजले, लम्बी काठी, उग्र तेज। ज़रा भी चूके तो खैर नहीं। उस पीढ़ी के गुरु की परिभाषा को प्रत्येक पल सार्थक करते कि बच्चों को जिस दिन से हमारा शिष्य बनाया उसी दिन से हड्डी तुम्हारी चमड़ी हमारी। उनकी लिखवाई पंक्तियाँ, लिखते-लिखते, हमें स्वयं कंठस्थ हो गईं और आज भी स्मृतिकलश में संचित हैं। वह जलधार छलकने नहीं पाई। उन्हीं की कभी लिखवाई श्रुतलेख की वह पंक्ति आज कितनी सार्थक लगती है :

वे रहीम अब बिरछ कहँ, जिनकी छाँह गम्भीर।
इत उत बगियन देखियत, सेहुँड़ कुटज करीर॥

वे गम्भीर छायाप्रद वृक्ष जिनकी शीतल छाया में बैठ हमने अनायास ही बहुत कुछ सीख लिया था, आज शून्य में विलीन हो गए हैं।

वे सूरतें इलाही किस देश बसतियाँ हैं
अब जिनको देखने को आँखें तरसतियाँ हैं?

बीते काल को मुट्ठी में बाँधना छलनी में जलधारा को बाँधने जैसा ही असम्भव नहीं तो कठिन तो अवश्य है। जो भी हो, यह चेष्टा हमें कुछ सुखद क्षण अवश्य प्रदान करती है। इस युग की सभ्य-सुसंस्कृत पीढ़ी माने या न माने, सैकड़ों वर्ष पूर्व गाड़े गए अशरफियों से भरे इस घड़े की प्राप्ति उन्हें समृद्ध करने में अभी भी सक्षम है। भले ही अतीत की इन अशरफियों को कालचक्र ने काला करके लोहे-सा बना दिया हो, किन्तु खरा सोना कभी खोटा नहीं निकलता। इतना अवश्य है कि आज इस पीढ़ी के पास वह निकष नहीं

रहा जिस पर इस सोने को कसकर वह इसका उचित मूल्य आँक सके। अनायास प्राप्त समृद्धि निश्चित रूप से रिश्तों को कमज़ोर कर देती है। अब वे दिन गए जब घर में बुज़ुर्ग की उपस्थिति से या गुरुजनों के नित्य-अभिवादन से आयु, विद्या, यश और बल में वृद्धि होना स्वाभाविक समझा जाता था।

हम लोगों के लिए, जिन्होंने कृतयुग के सुख का सहस्रांश तो भोगा ही होगा, इस युग का नया अन्दाज, नई दृष्टि, निर्लज्ज स्वार्थपरता कभी-कभी असह्य हो उठती है। किन्तु बचीरामजी की कलम फिर विवेक का कन्धा थपथपा देती है :

रहिमन चुप है बैठिए देखि दिनन को फेर।

किन्तु हमने जिन पंक्तियों की सार्थकता को अपने जीवन की कसौटी पर साधकर उदरस्थ किया है, क्या वे सचमुच निरर्थक हो गई हैं?

राजनीति से लेकर साहित्य तक, गृहस्थ से लेकर संसार-त्यागी, दंडी संन्यासी तक सबकी परिभाषा बदल गई है। राजनीति में सफल वेश्या के गुणों को होना भर्तृहरि ने अनिवार्य माना है—सत्यानृता च परुषा प्रियवादिनी च। किन्तु आज के राजनीतिज्ञ तो महज कॉलगर्ल बनकर रह गए हैं। देश की पूरी राजनीति जब तिहाड़ जेल में बन्द हो तो कैसी परुषा कैसी प्रियवादिनी! दंडी है तो विदेश में करोड़ों की लागत से बने आश्रम हैं। किन्तु मनुष्य मनुष्य को बहुत दिनों तक नहीं छल सकता। एक-न-एक दिन लतियाए जाते हैं और फिर चिमटा खनकाते हुए स्वदेश लौट आते हैं। अगर गृहस्थ हैं तो गृह की चिन्ताओं से मुक्त। आधा राजदंड जब से गृहिणियाँ सँभालने लगी हैं तब से 'तेरी भी चुप मेरी भी चुप'।

साहित्य का तो एकदम ही गिरगिटी कलेवर में प्रत्यावर्तन हो चुका है। पत्रिकाएँ (हिन्दी की) कब की गतायु हो चुकी हैं। भारतीय लेखक-लेखिकाओं ने हिन्दी के दरिद्र बाजार से अपनी दुकानें हटा ली हैं। अंग्रेजी में लिखिए तो आप पलक झपकते ही यशःसिद्ध कवीश्वर बन जाते हैं। फिर क्यों हिन्दी में लिखें?

संगीत की तो और भी दुर्दशा है। आज वे बंदिशें जिनकी श्रुतिमधुर ध्वनि अब भी कानों में गूँजती है, टके की दो भी नहीं बिकतीं। अटपटी हिन्दी में बँधे संगीत के एल्बम जिनमें नर्तकियाँ अंग-प्रत्यंग मरोड़कर वह मुद्रा प्रदर्शित करती हैं जिसमें हमने कभी किसी प्राण त्यागते आसन्नमृत्यु मनुष्य को जूझते देखा है। हाथ-पैर पटकना, ऊर्ध्व श्वास में विचित्र ध्वनि निकालकर श्रोता को

सहमा देना—यह आज का संगीत है। पहले बंदिश के बोल भले ही अश्लील हों, पर सुनते हुए वैसे लगते नहीं थे :

जोबनवा के सब रस लै गइले भँवरा गूँजी रे गूँजी।

किन्तु आज के संगीत-रसिक द्वि-अर्थी बंदिशों में ज्यादा रस लेने लगे हैं।

आज से कुछ ही माह पूर्व, मेरी एक निकटस्थ आत्मीया ने मुझे यह कहकर लताड़ा था कि आपकी एप्रोच निगेटिव ही रहती है। कभी हँसी भी आती है। यदि ऐसा ही होता तो क्या मैं अपनी सुखी गृहस्थी को अनेकानेक अभावों के रहते दाँतों के बीच जीभ की तरह सेंत पाती? क्या अपनी सन्तान को ऐसी योग्य बना पाती कि आज लोग उनका उदाहरण देते कि सन्तान हो तो ऐसी? किन्तु अविवेकी नई पीढ़ी से कुछ कहना अपनी ही साँसों को व्यर्थ करना है।

निराशा बुरी चीज है, किन्तु केवल आशा की बैसाखी के सहारे चलना और भी बुरा है। समय के साथ-साथ हमारे खट्टे-मीठे अनुभवों की उठापटक हमें बहुत कुछ सिखा जाती है। वर्षों तक तेल पिलाई लाठी की भाँति हम सहज में नहीं टूटते। हमने अपमान का गर्जन-तर्जन सुना है। हम कई बार पारस्परिक विद्वेष के अंगारों से दागे गए हैं। हमने मानवता की स्वार्थपरता का नग्न निर्लज्ज नर्तन देखा है। ऐसे में निगेटिव या नकारात्मक दृष्टिकोण का प्रश्न ही नहीं उठ सकता। हमने तो अपने पुत्र, पौत्र-पौत्रियों को यही आशीर्वाद दिया है :

अजर अमर गुननिधि सुत होहू।
करहु बहुत रघुनायक छोहू॥

यदि आपने हृदय से सन्तान को यह आशीर्वाद दिया है तो वह कभी संस्कारों से विच्युत नहीं हो सकती। यद्यपि अपने कार्यसंकुल जीवन में नितान्त समयाभाव ने उसे कर्त्तव्यों के प्रति उदासीन अवश्य बनाया है, किन्तु जननी के हृदय से यह पंक्ति उतनी ही ईमानदारी से निकलती है और निकलती रहेगी : अजर अमर गुननिधि सुन होहू।

अभी कुछ मास पूर्व मैं एक पुरस्कार ग्रहण करने मुम्बई गई थी। अपनी पचास वर्ष पूर्व की सहपाठिनी के साथ सुखद समय बिताया। न जाने कितने सुख-दुख बाँटे, कितने अनबँटे रह गए!

वह भी मेरी ही भाँति कभी उस युग को देख चुकी थी। कभी सौन्दर्य, यश, ख्याति का प्रभूत सुख भोगा था। आज भी रहन-सहन, रुचि में कोई अन्तर नहीं आया था। अपनी कार थी, ड्राइवर था, दो-दो नौकरानियाँ थीं।

संगीत अभी कंठ से विलग नहीं हुआ था। चाह गई चिन्ता गई मनुआ बेपरवाह। किन्तु चिन्ता क्या सचमुच चली गई थी? कभी-कभी पुत्र का व्यवहार उसे अवश कर जाता था।—पहले बच्चों के लिए पैसे बचाकर रखती थी। अब उन्हें मेरे पैसों की जरूरत ही कहाँ है? इसी से दाएँ-बाएँ दान कर रही हूँ—कभी हाजी अली के अस्पताल को, कभी वृद्धों के आश्रम को, कभी कैंसर अस्पताल को। अठहत्तर वर्ष की होने पर भी उसका एक पल व्यर्थ नहीं जाता। कभी पैकिंग केस बनाती है, कभी लिफाफे—सब बेचकर चैरिटी कोष में जमा कर देती है। उसके चेहरे पर मैंने ऐसी दिव्य ज्योति पहले कभी नहीं देखी।

इस वयस में भी वह उसी ठसके से बनी-ठनी रहती है। न साड़ी की एक भाँज इधर, न उधर। सलीके के सिले ब्लाउज। कानों में, हाथ की अँगूठी में बहुमूल्य सॉलिटेयर। छोटी वधू विदेशिनी है—सास की दुलारी, अत्यन्त विवेकशाली। बीच-बीच में प्रवासी सन्तान से मिलने चली जाती है मेरी सहेली। एक बार अस्थिभंग हो चुका है। दूसरी बार पक्षाघात का हलका-सा झटका उसे सहमा अवश्य गया है, किन्तु वह हारी नहीं है।

मुझे वर्षों बाद एकान्त में पाकर एक-दो बार उसके धैर्य का बाँध टूटा भी। पर मैंने हँसी-हँसी में उसके नैराश्य को उड़ा दिया :

—जानती है ट्रेन में एक सज्जन ने मुझसे कहा—आप शिवानीजी हैं न? आपकी लिखी कुछ पंक्तियाँ मैंने अपने सिरहाने लिखकर टाँग दी हैं...

—मुझे इसकी याद भी नहीं थी कि तीस वर्ष पूर्व मैंने वे पंक्तियाँ लिखी थीं। एक कश्मीरी प्रतिवेशिनी की दुखगाथा सुनकर ही कलम मुखर हुई थी। उनका ज्येष्ठ पुत्र आई.पी.एस. था, छोटा आई.ए.एस.। बड़ा बेटा अपनी ससुराल में रहता था। छोटा बेटा अपने मन की शादी करके उस कश्मीरी यवन-कन्या के साथ माँ से अलग हो चुका था। बोली थी—मुझे मौत भी नहीं आती। ऐसा बेटा जिसे मैंने हरिवंश पुराण सुनकर पाया था, मुझे ऐसे भूल जाएगा, मैंने कभी सोचा भी नहीं था।

—तब ही मैंने वह कहानी लिखी थी और ये पंक्तियाँ—'इस युग में बेटा माँ के गर्भ से निकलते ही सीधे सास के गर्भ में घुस जाता है। माँ तो दस माह में उसे निकाल देती है, सास फिर जिन्दगी-भर नहीं निकालती।'

मेरी सखी ठठाकर हँसी—वाह-वाह! क्या बात लिख दी है तूने! उसने मुझे बाँहों में भर लिया। चेहरे की उदासी न जाने कहाँ विलुप्त हो गई! एक बार

फिर वह पचास वर्ष पूर्व की मेरी वही आनन्दी सखी बन गई, जो मेरी उक्तियों को अपनी डायरी में लिखकर सहेज लेती थी। आज भी उसने यही किया।

पहली बार यह सत्य मैंने हृदयंगम किया कि कलम में दमखम हो तो वह रुला भी सकती है, गुदगुदाकर हँसा भी सकती है।

माताहारी

आज अपनी एक ऐसी सहपाठिनी की स्मृति बरबस कोंचती हुई लिखने को विवश कर रही है, जिसके विषय में चाहने पर भी मैं आज तक नहीं लिख पाई, इसलिए भी कि एक बार ऐसे ही एक मृत सहपाठी से वर्षों बाद हुई मुठभेड़ को लिपिबद्ध करने पर पाठकों-आलोचकों ने मेरी कड़ी आलोचना की थी कि पढ़ी-लिखी होने पर भी ऐसी कहानी लिखकर मैं अंधविश्वास को प्रश्रय दे रही हूँ। मेरे पास, तब भी इस आलोचना का वही उत्तर था, जो आज है। मृत्यु के पश्चात् भी एक जीवन और है, ऐसा मेरा दृढ़ विश्वास है। मैं इसे अंधविश्वास नहीं मानती किन्तु जो अनुभव मुझे समय-समय पर हुए हैं, उनकी कोई सुदृढ़ वैज्ञानिक व्याख्या देने में, या कोई स्पष्ट प्रमाण देने में अक्षम हूँ। इसी से रहीम की सीख मान, अपनी न कह सकने की व्यथा मन-ही-मन रखती आई हूँ।

रहिमन निज मन की बिथा मन ही रखिये गोय
सुन अठिलैहें लोग सब बाँटि न लैहें कोय।

मारी वांग सीधे चीन से शान्तिनिकेतन पढ़ने आई थी। पहले कुछ दिनों प्रो. तान के साथ चीना भवन में रही, फिर हमारे साथ छात्रावास में रहने चली आई। मुझे पहली ही झलक में वह चीन्ही-पहचानी लगी थी। पर कहाँ देख सकती थी उसे? वह तो पहली बार भारत आई थी, किन्तु जितनी ही बार उसे देखती, हँसने, बोलने, चलने, उठने, बैठने की उसकी हर भंगिमा पूर्वपरिचय की स्मृति का वाष्प कंठ अवरुद्ध कर गोला बन, साँस रोक देता। धीरे-धीरे परिचय घनिष्ठ होता गया। वह फिर मेरे ही कमरे में रहने आ गई। मैंने उससे एक दिन कहा, 'जानती हो मारी, तुम्हें देखती हूँ, तो लगता है, तुम्हें

कहीं पहले भी देखा है, तुम्हारी हँसी, चाल, बार-बार बिखरी लटें सँवारने उठा तुम्हारा हाथ, तुम्हारा 'स्टुपिड' कहना, सब पहचाना-सा लगता है।'

वह बड़े ज़ोर से हँसी, 'तुम पूर्वजन्म में विश्वास करती हो? हमारे चीन में हम पूर्वजन्म में बहुत विश्वास करते हैं। हो सकता है पहले जन्म में हम दोनों सगी बहनें हों! क्योंकि मैंने भी जब तुम्हें पहली बार प्रो. तान के यहाँ देखा, तो तुम मुझे बहुत अच्छी लगी थीं। ऐसा लगा, जैसे तुम्हें वर्षों से जानती हूँ। चलो, अच्छा हुआ, इस जन्म ने हमें फिर मिला दिया!'

वह मुझसे एक वर्ष सीनियर थी, पर एक ही कक्षा में न होने पर भी हमारी मैत्री प्रगाढ़ हो गई। वह क्रिश्चियन थी, वह भी खाँटी क्रिश्चियन। नियमित रूप से बाइबल पढ़ती, सुडौल सुचिक्कन ग्रीवा में एक सोने की पतली चेन लटकती रहती, उसके बीचों-बीच लटका रहता नन्हे हीरे जड़ा क्रॉस। उसके मंगोल चेहरे की बनावट में, उसकी तीखी नाक विरोधाभास-सी बनी उभरी रहती, तिरछी आँखों की तरल आर्द्रता, नन्हे क्यूपिड अधर, सर्वोपरि उसके पिटे सोने-सा रंग, छरहरा शरीर, जैसे विधाता ने साँचे में ढालकर बनाया हो, सतर कन्धे, नन्हे वक्ष का कठोर उभार और क़लम से बनाई गई भँवें, यद्यपि मैं जानती थी उस बनावट में विधाता के ही मौलिक हस्ताक्षर हैं, क्योंकि न वह कभी भ्रूभंग नोंचती, न कोई शृंगार प्रसाधन ही व्यवहार में लाती, केवल एक चीनी प्रलेप के, जो उसकी नानी ने एक छोटी-सी चाँदी की डिबिया में रख उसे भारत के प्रखर आतप प्रहार को झेलने के लिए दी थी, पर उसके पूरे शरीर से मायसोरी संदली अगरबत्ती की-सी अदृश्य धूम्र-रेखा, जहाँ भी वह बैठती पूरे कमरे में मँडराती रहती। तब क्या वह पद्मिनी की-सी जन्मजात स्वाभाविक सुगन्ध लेकर ही पृथ्वी पर अवतरित हुई थी?

मैंने एक दिन पूछ लिया, 'मारी, तू क्या किसी ख़ास चीनी साबुन से नहाती है? तू बाथरूम से नहाकर निकलती है, तो बड़ी देर तक ग़ुसलख़ाना, मह-मह महकता है, या कोई परफ़्यूम लगाती है?'

'हूँ परफ़्यूम', वह बड़ी अवज्ञा से हँसी, 'जा, देख आ मेरा सूटकेस। न कोई परफ़्यूम है, न कोई साबुन, स्टुपिड! मेरे पास ऐसा कुछ भी नहीं है।'

फिर एक दिन वह अपने कपड़े लगा रही थी कि मैं पहुँच गई। ऐसा लगा, कोई इत्रदान खुल गया है। बहुत पहले अपने नानाजी का एक इत्रदान देखा था, इत्र की रिक्त शीशियों से भरा, पर कैसी सुगन्ध थी! शमातुलम्बर, हिना, ख़स, रश्के-मुनीर! यह इत्रदान मेरे नाना को दौलताबाद के नवाब ने कभी

दिया था। चालीस साल से भी ऊपर हो गए हैं, फिर भी ख़ुशबू नहीं गई। वैसा ही कुछ-कुछ मारी का सूटकेस भी लगा। यहाँ तो ख़ाली शीशियाँ भी नहीं थीं, फिर भी न जाने कैसी मदमस्त ख़ुशबू थी कि आँखें मुँदी जा रही थीं!

'यह हमारे ख़ानदान की ख़ुशबू है, स्टुपिड!' मारी ने कहा, 'मेरी नानी मेरे नाना की तीसरी कनक्यूबाइन थीं। उन्हें यह वरदान था कि उनकी पीढ़ी-दर-पीढ़ी जहाँ भी जाएँगी सुगन्ध का धुआँ बिखेरती जाएँगी।'

उसने मुझे एक बार जन्मदिन पर दो तकिया-ग़िलाफ़ दिये थे। चीनी कढ़ाई की मोहक जाली से वही ख़ुशबू आ रही थी। मैंने चट से अपने बक्से में साड़ियों के बीच सहेजकर रख लिए, पर जब कुछ दिनों बाद बक्सा खोला, तो तकिया-ग़िलाफ़ वहीं थे, पर ख़ुशबू गायब! तब, क्या मारी की नानी अन्यत्र सुगन्ध वितरित करने में कृपण थीं या अक्षम?

उधर मारी से मेरी मैत्री निरन्तर प्रगाढ़ होती जा रही थी। उधर पूर्व मित्र-मंडली ने मुझसे नाता ही तोड़ लिया था। एक तो मारी अन्य छात्राओं को घास नहीं डालती थी, दूसरे उसकी शालीनता, उसका मोहक व्यक्तित्व, छात्रों में उसकी लोकप्रियता, उसके प्रति ईर्ष्या का कारण बन गई। एक तो वैसे ही, 'नारि न मोह नारिकर रूपा' वाली बात थी, दूसरे उसकी चाल-ढाल, बोल-चाल में एक अहंकारी लटका स्वयमेव आ गया था, यद्यपि उसे न अपने रूप का अहंकार था, न वैभव का, किन्तु कुछ बात उसमें ऐसी अवश्य थी कि जो किसी को भी लपककर उसके कन्धे पर हाथ रखने से रोक लेती थी।

वह अपने ढेर सारे चीनी अचारों की शीशियाँ लेकर भोजनालय में जाती, तो लड़कियाँ नाक-भौं सिकोड़कर फुसफुसाने लगतीं, 'न जाने मेंढक, साँप किस-किसका अचार लाई है, अभागी।' ग़नीमत थी कि वह साल-भर आश्रम में रहकर भी बाँग्ला नहीं सीख पाई थी, न सीखने की चेष्टा ही कर रही थी। उसके प्रति छात्राओं के क्रोध का एक कारण यह भी था।

मुझे भी उसकी मैत्री महँगी पड़ रही थी। अकेले में लड़कियाँ कहतीं, 'की हे कैमन लागलो बैंगेर अचार?' (क्यों री, कैसा लगा मेंढक का अचार?)

मारी के पास रेशमी चीनी लबादों का दर्शनीय संग्रह था। सुनहरे ड्रेगन बने चीनी चोग़ा पहन वह क्लास में जाती, तो एक ओर से घुटनों तक खुली लबादे की यवनिका से निकले उसकी सुडौल नग्न, गौरवर्णी कमनीय कलेवर पर पूरी क्लास की दृष्टि निबद्ध हो जाती। मैंने ही फिर उसे समझा-बुझा,

हलकी तुरपन से उस मोहक यवनिका को मूँद दिया था।

मारी को घूमने का बहुत शौक़ था, पर उन दिनों हमारे छात्रावास 'श्री भवन' के नियम बहुत कठोर थे। दिन में तीन बार हाज़री ली जाती थी। सन्ध्या पाँच बजे के बाद छात्रावास के बाहर लगी बेंच पर ही बैठकर छात्राएँ बोल-बतिया सकती थीं। बुधवार को आश्रम की छुट्टी होती थी, रविवार को नहीं। रविवार को भी कक्षाएँ होती हैं, यह मारी समझ नहीं पाती थी। वह क्रिश्चियन थी, सैवंथ डे को मैं नहीं जा सकती। आस-पास कोई गिरजाघर भी तो नहीं है। यह कैसा अन्याय है!'

'मारी, तू समझती क्यों नहीं? यहाँ ब्राह्म मन्दिर है, वहीं हम सबकी उपासना होती है। न यहाँ हिन्दुओं के लिए मन्दिर है, न मुसलमानों के लिए मस्ज़िद, न सिखों का गुरुद्वारा, न ईसाइयों का चर्च। इसी मूर्तिविहीन मन्दिर में हम सब एकसाथ बैठ अपने-अपने ईश्वर का स्मरण करते हैं, तू क्यों नहीं कर सकती?'

'नहीं, मुझे अपना गिरजाघर चाहिए।'

'तो बनवा ले।' मैंने खीझकर कहा, तो वह चुप हो गई, पर वह भी एक ही थी, इतवार को कभी क्लास में नहीं जाती थी। किसी ने गुरुदेव से शिकायत भी कर दी, पर वे इन बातों में बहुत उदार थे। किसी ने मारी को बाध्य नहीं किया।

एक दिन बोली, 'सुना है, यहाँ कहीं एक नील साहब की भुतही कोठी है। चल, उसे देख आएँ।'

मैं वह खँडहर कई बार देख चुकी थी। उसके पास ही एक मीठी झरबेरी का पेड़ था, जो फलते ही हम छात्र-छात्राओं की कृपा से बाँझ हो जाता। हम सभी वहाँ बेर खाने पहुँच जाते, यद्यपि वह क्षेत्र हमारे लिए वर्जित था। हमें छात्रावास की पुरानी नौकरानी चारु ने आगाह भी किया था, 'दीदी, ख़बरदार! कभी भी उस कोठी की देहरी मत लाँघना। वहाँ नील साहेबेर भूत टेने निये जावे। (वहाँ नील साहब का भूत तुम्हें खींच ले जाएगा।) मेरा जवान भतीजा राखाल दोस्तों के उकसाने पर बड़ी बहादुरी दिखाकर वहाँ पेशाब कर आया था। तीसरे ही दिन गर्दन तोड़ बुखार में चल बसा। बिना माँ-बाप के लड़के को मैंने ही पाल-पोसकर बड़ा किया था। मरने से पहले मेरा हाथ पकड़कर कहने लगा, 'पिसी, आमी जाच्छी। नील साहेब नीते ऐशे छे। पिसी गो ख़ूब

भालो माहने देबे। (बुआ, मैं जा रहा हूँ। नील साहेब लेने आए हैं। खूब अच्छी तनख़्वाह देंगे।) और श्याम माली का बेटा तीनकौड़ी दोस्तों से शर्त लगाकर गया कि देख लूँगा साले साहब को! वहीं करैत साँप ने डँस लिया। पानी भी नहीं माँग पाया। साँपों की बाँबी है वहाँ। ख़बरदार! दीदी, भूलकर भी वहाँ मत जाना।'

मैंने मारी से कहा, तो वह बोली, 'अच्छा तू भीतर मत आना। मैं तो जाकर देखूँगी उस साहब को। देखूँ तो सही कैसे ले जाता है मुझे!'

उस दिन बुधवार की छुट्टी थी। चार बजे की चाय पर पहुँच हाज़री देना ज़रूरी था। इसी से हम दोनों खाना खाते ही पिछवाड़े के द्वार से निकल गए।

पहुँचे तो घने जंगल के बीच, 'नील कुठी' बेलीगारद के खँडहर-सी खड़ी थी। कभी वह आलीशान इमारत निश्चय ही दर्शनीय रही होगी, किन्तु अब लम्बी टूटी खिड़कियाँ, भग्न द्वार, मकड़ी के जालों से घिरे रौशनदान, टूटकर लटक आया छत का भग्नावशेष, सबकुछ डरावना लग रहा था।

मैंने कहा, 'मारी, प्लीज़ चल, लौट चलें, मुझे डर लग रहा है।'

'स्टुपिड!' वह बोली, 'इतनी दूर क्या यह जंगल देखने आई हूँ? चलूँ, ज़रा नील साहब से तो मिल लूँ। देखूँ तो सही कैसा है, जवान या बुड्ढा!'

मैं उसे नहीं रोक पाई। वह निर्भीक लड़की दोनों हाथों से अपने से भी लम्बी काशगुच्छों की घास को हटाती दनदनाती भीतर चली गई। बीच के बड़े कमरे में खड़ी होकर उसने हँसकर दोनों हाथ हिलाकर कहा, 'अरी, चली आ भीतर! यहाँ कोई साहब-वाहब नहीं है। बड़ा मज़ा आ रहा है।'

मैंने चीख़कर कहा, 'लौट आ मारी, वहाँ साँपों की बाँबी है।'

वह मेरी बात अनसुनी कर सहसा घूम-घूमकर अदृश्य नील साहब को बुलाने लगी, 'कम डाउन नील साहब, मैं चीन से तुमसे मिलने आई हूँ। देखने में बुरी नहीं हूँ साहब, कम डाउन!'

टूटी छत से छन-छनकर आती सूर्य की प्रखर किरणों से उद्‌भासित उसका पीतवर्णी चेहरा मुझे स्पष्ट दिख रहा था। एकाएक वही चेहरा काग़ज़-सा सफ़ेद बन गया। वह स्तब्ध मौन सन्नाटा, मुझे क्षण-भर पूर्व की चीख़-पुकार के बाद अजीब लगा।

अभी तक तो वह बुलबुल-सी चहक रही थी!

तब क्या नील साहब को देख लिया था उसने?

'मारी, प्लीज़ लौट आ!' मैंने कहा, तो उसने मुझे चौंककर देखा। उतनी

दूर से भी मैं उसकी आतंकित आँखों की सहसा बदल गई पुतलियों को स्पष्ट देख पा रही थी। वह बार-बार इधर-उधर देख रही थी, जैसे किसी ने लौटने का हर द्वार अवरुद्ध कर दिया हो। क्या सचमुच ही किसी करैत ने डँस लिया था उसे? उसे कहीं कुछ हो गया, तो मैं किसे मुँह दिखा पाऊँगी, पर वह फिर प्रकृतिस्थ होकर लौट आई।

'क्या हो गया मारी, तूने मुझे डरा ही दिया था। मैंने सोचा, तुझे साँप ने काट लिया है।'

वह हँसी, पर वह हँसी उसकी हँसी नहीं थी एक अजीब खिसियाई, डरी-सहमी-सी हँसी, जिसे मैंने आज तक उसके ओठों पर नहीं देखा था।

हम तेज़ कदमों से लौटे और आते ही किचन की भीड़ में घुल-मिल गए। मार्ग-भर वह एक शब्द भी नहीं बोली। यह उसके स्वभाव के विपरीत था। वह तो एक पल भी चुप नहीं रह सकती थी। रात को भी केवल 'गुडनाइट' कह लेट गई, पर उसकी बदलती करवटें देख मैं समझ गई कि उसे नींद नहीं आ रही है।

'क्या बात है मारी, सच बता, तू डर गई है ना?'

'स्टुपिड!' वह बोली और मेरी ओर पीठ कर लेट गई, जैसे मुझसे आँखें न मिला पा रही हो। मैं समझ गई कि वह डरी अवश्य है पर अपने दौर्बल्य को स्वीकारना नहीं चाहती।

'मैंने कितनी बार समझाया था मारी, भीतर मत जा। कोई बात तो होगी, तब ही तो लोग कहते हैं। बड़ी बहादुर बनी थी ना!'

'ओह, प्लीज़, शट अप!' उसने ज़ोर से कहा और मुँह ढाँप लिया।

अपमानित होकर मैं अपने बिस्तर में चली आई। ऐसे वह कभी नहीं बोलती थी। मंजीरे-सी खनकती उसकी हँसी और मधुर मिश्री-सी वाणी ही तो उसकी विशेषता थी।

ऐसे ही पूरा सप्ताह बीत गया। मारी एकदम बदल गई थी। बड़ी देर तक बाइबल पढ़ती, बीच-बीच में क्रॉस को चूमकर माथे से लगाती और फिर चुपचाप पड़ी रहती। मेरी बातों का उत्तर भी अब वह केवल 'हाँ' या 'ना' में देती थी। पहले यही मारी अपनी मीठी आवाज़ में, अपना प्रिय गीत गुनगुनाती, पूरा कमरा गुलज़ार किए रहती थी—

I have lost my heart in Budapest
On that night in the middle of June

Now I can't forget my Budapest
That night and that moon and that June.

कहाँ गया वह गीत और कहाँ गई वह गानेवाली?

मैंने इस बार उसके दोनों हाथ पकड़ झल्लाकर उसे झकझोर दिया, 'मारी, नाउ कम ऑन, टेल मी, तू ऐसी क्यों हो गई है? कहाँ जाना है तुझे?'

उसने अपनी तिरछी आँखों से मुझे देखा, 'मैं तुझसे झूठ बोली थी। मैंने उस दिन नील साहब को देखा था। उस दिन रौशनदान से झाँक रहा था वह। नीली आँखें, सुनहरे बाल और देवदूत-सा चेहरा! मैंने जब उसे पुकारा—हे नील साहब, कम डाउन डार्लिंग, व्हेयर आर यू? तब वह रौशनदान से कूदकर मेरे सामने खड़ा हो गया था, 'हीयर आई ऐम स्वीट हार्ट। सचमुच तुम बहुत सुन्दर हो मारी। मैं तुम्हें अवश्य ले जाऊँगा, पर जुलाई तक सब्र करना होगा, फिर हमेशा तुम्हें अपने इस कोट के भीतर छिपाकर रखूँगा।' नानी को, माता-पिता को, छोटे भाई को, तुझको छोड़ने का दुख अवश्य होगा, पर अब मैं उसके बिना जी नहीं सकती।'

'मारी, तू पागल हो गई है। यह सब चारु की बकवास का असर है। वह अपढ़ जाहिल औरत है।

'नहीं, चारु इस ग्रेट।'

और वह चली गई।

चीनी छात्रों का एक दल, उस बार गर्मी की छुट्टियाँ बिताने हमारे साथ अल्मोड़ा आया था। फाँचू, जो तब बौद्ध भिक्षु थे, अब डॉ. फाँचू श्रीलंका यूनिवर्सिटी में शायद रीडर हैं। लम्बा दीर्घ देही लजीला छात्र शेई और नन्हा-सा गोलमटोल चुंग। शेई ने ही मुझसे एक दिन कहा, 'मारी से तुम्हारी मित्रता ठीक नहीं है। मैंने पहले भी सोचा, तुम्हें आगाह कर दूँ।'

'क्यों? मारी तो बहुत अच्छी लड़की है, एकदम भोली।' मैंने कहा।

'यही तो उसका दुर्भाग्य है। लोगों ने उसके भोलेपन का फ़ायदा उठाया। वह कम्युनिस्ट है और अब एक ख़तरनाक जासूस। कभी बेमौत मारी जाएगी।'

'क्या बकते हो? मैं विश्वास नहीं कर सकती।'

'एक दिन विश्वास करना पड़ेगा।'

सचमुच ही विश्वास करना पड़ा। छुट्टियाँ बिताकर लौटे तो कुछ ही दिन बाद शेई ने ही वह दुःसंवाद दिया। चीन पहुँचते ही मारी बन्दिनी बनाई गई,

मुक़दमा चला और सज़ा मिली–सज़ाए मौत! कौन होगा वह जल्लाद, जिसने उस मराल ग्रीवा में फाँसी का फन्दा डाला होगा।

नील साहब का रहस्य मुझ तक ही सीमित रहा। मैंने किसी से कुछ नहीं कहा। कहती भी तो कौन विश्वास करता?

सुना है, परलोक पहुँचते ही बिछुड़े स्वर्गत बन्धु-बान्धव नई आत्मा का स्वागत करने खड़े रहते हैं। उसी भीड़ में शायद अपने नील साहब के साथ खड़ी, मुझे अपनी तिरछी आँखोंवाली सदाबहार हँसी बिखेरती चीनी बांधवी भी मिल जाए। ओठों पर उसके उसी प्रिय गीत की सुरीली गुनगुनाहट–

Now I can't forget my Budapest
And that night and that moon and that June.

नदी जो मरुस्थल में खो गई

मेरा यह मत रहा है कि किसी प्रियजन के संस्मरण सँजोने हों तो उसके जीवनकाल में ही यह कार्य करना चाहिए, किन्तु हममें से कितनों की दुःसाहसी लेखनी, ऐसा कर पाती है? कहीं उस व्यक्ति की किसी दुर्बलता का उल्लेख उसे रुष्ट न कर दे, कहीं वह कुछ का कुछ अर्थ न लगा बैठे। मैं स्वयं कई बार इस प्रयोग के गर्म दूध की आँच से झुलस चुकी हूँ। इसी से अब वास्तविकता का मठा भी फूँक-फूँककर पीती हूँ। मेरी इसी लेखनी ने न जाने कितने आत्मीय स्वजनों से, मुझे विलग किया है।

मैं 'जो कुछ कहूँगी, सच कहूँगी। सच के सिवा कुछ नहीं कहूँगी,' यह कहना तो बहुत सरल है, किन्तु लिखना उतना ही कठिन। सत्य की कड़वी औषधि में कभी-कभी काल्पनिक शहद भी मिलाना पड़ता है, वह मैं आज तक न कर पाई, न कभी कर पाऊँगी। शायद, यही कारण है कि इष्ट मित्रों की शाप-वृष्टि से सदा त्रस्त ही रही। मायके के लौहर्गल युक्त कपाट तक मेरे लिए सदा के लिए मुँद गए, फिर भी यह मुँहफट लेखनी, किसी अल्ट्रासाउंड की प्रखरता से एकदम अन्दर छिपी व्याधि का अवकिल चित्र उतारकर रख देती है। इतना अवश्य जान गई हूँ कि अपनों ही पर, कलम की गुलेल साधना, सहज नहीं होता। आज, जब बन्धु-बान्धवी, सहपाठी, समवयसी आत्मीयों में से अधिकांश, इहलोक के बन्धन काट, ऊपर जा चुके हैं, स्मृति दंश कभी-कभी दुर्वह हो उठता है।

जहाँ बैठकर लिख रही हूँ, वहाँ पिछवाड़े की सँकरी गली से, प्रायः ही महाप्रस्थान के यात्री, चार कन्धों पर हुलसते जाते हैं। पिपराघाट के श्मशान को, यही सड़क जाती है। अभी-अभी एक भाग्यवान गुजरा है 'राम नाम सत्य है, सत्य बोलो सत्य है।' यह सत्य किसी को झकझोर दे, ऐसा हो ही नहीं

सकता—मन अचानक अशान्त हो गया। सामने गुलमोहर का लाल-लाल फूलों से लदा वृक्ष, कामोन्मत्त वृषभ-सा मस्ता रहा है। आषाढ़ आधा बीत गया है, बाहर सामान्य वर्षा ने तप्त धरणी की प्यास ऐसी बढ़ा दी है कि धरित्री, निर्धूम, अग्निकुंड बनी, आग फूँक रही है—मुझे, इस वर्षासिक्त धरणी की सौंधी महक, आज अनायास ही उस चेहरे की स्मृति में आकंठ डुबो रही है जिसके पास बैठकर, कभी मेघदूत पढ़ा था—

धूम्रज्योतिः सलिलमरुता सन्निपातः क्व मेघः।

हम सात बहनों में वयः ज्येष्ठा थी जयन्ती। इस वर्ष उसकी बीमारी का समाचार सुन उससे मिलने गई तो वर्षों पूर्व उन्हीं से पढ़े शिवपुराण की चेतावनी स्मरण कर आँखें भर आईं। आँखों में जमकर ठहर गया पानी, कानों की पलट गई लोड़ियाँ, किंचित तिर्यक् बनी नासिका। समझ गई कि 'दिवस का अवसान समीप था'।

कहाँ गई वह भरी-भरी देह, वह पीतवर्णी आभा, तेजोदृप्त कंठस्वर? मुझे बाँहों में भर, वह रोने लगी, वह जिसे मैंने कभी किसी के सामने रोते नहीं देखा था। शायद, वह जान गई थी, कि यह दोनों बहनों का अंतिम आलिंगन है, विच्छेद की भूमिका। मेरे क्षुब्ध चित्त में, विक्षोभ का तूफ़ान उठ रहा था। अपराधी चित्त, बार-बार पानी में भीगे चाबुकी अदृश्य मार से, मुझे आहत कर रहा था। न जाने कितनी बार, मैंने उसके हृदय को दुखाया है, छात्र जीवन में अपनी अबाध्यता से उसे विचलित किया है। और आज तक, कभी क्षमा भी नहीं माँग पाई। आज आई हूँ, जब दीपशिखा बुझ चुकी है, केवल क्षीण अवसन्न धूम्ररेखा प्राणों का संकेत बनी रह गई है। उसने मेरे सिर पर हाथ फेरा, वह अब, अपने को संयत कर चुकी थी, खिसियाए स्वर में बोली, 'पता नहीं क्यों, आजकल ऐसा ही गह्वर आ जाता है, कैसी है तू?' एक हाथ मेरी पीठ पर था, दूसरा शिथिल लता-सा, पलंग के नीचे झूल रहा था—हाथ का कंकण, न जाने कब बाँहों का अनन्त बन गया था—

मोतियाबिन्द से लगभग दृष्टिहीन आँखें, जितनी ही बार, मुझे निकट से देखने की चेष्टा कर रही थीं, उतनी ही बार यत्न से रोकी गई रुलाई मेरा कंठ अवरुद्ध कर रही थी। फिर उसने एक दीर्घ निश्वास लेकर दोनों हाथ अपनी छाती पर धर, आँखें मूँद लीं। पहले भी जब कभी वह ऐसी ध्यानस्थ हो जाती, तो उसका मुख-मंडल एक दैवी तेज से दीप्त हो उठता था। लगता था साक्षात् वाग्देवी ही आविर्भूत हो गई हैं। उसका वैदुष्य ज्ञान अगाध था। कभी बनारस

विश्वविद्यालय ने, उसे साहित्य मनीषिणी की उपाधि से विभूषित किया था, जीवन में तब ही उसकी प्रतिभा का उचित मूल्यांकन हुआ था। बचपन से ही, पितामह के साथ रह संस्कृत की घुट्टी पी, अनेक भाषाएँ सीखीं—गुजराती, बाँग्ला, मराठी, उर्दू, हिन्दी, अंग्रेज़ी, संस्कृत-प्राकृत, पाली। शान्तिनिकेतन में चीनी भाषा सिखाने प्रो. तान जैसे स्नेही गुरु मिले। संस्कृत तो जैसे उसकी मातृभाषा थी। हिन्दी-अंग्रेज़ी लिखती तो मोती से अक्षर, साँचे में ढले निकलते। वृद्धावस्था में वे ही मोती बिखर गए, टेढ़े-मेढ़े अक्षरों में लिखे उसके पत्र पढ़ती तो कलेजा कसमसा उठता। आँखों से ठीक से दिखता नहीं था, पढ़ने ही में उसके प्राण बसते थे, वही छूट गया। कहानी लिखना न छोड़ा होता तो आज हिन्दी की शीर्षस्थ लेखिका होती, जैसे ही भाषा वैसे ही भाव। पता नहीं क्यों स्वयं ही इस विधा से उदासीन हो गई। 'चाँद', में 'हंस' में कई कहानियाँ छपीं—'शराबी, 'ठाकर की रोमा।' एक कहानी कलकत्ता विश्वविद्यालय के पाठ्यक्रम में भी आई, किन्तु न जाने क्यों, उसने स्वेच्छा से ही लिखना छोड़ दिया। पत्रों का, उसके पास अमूल्य संकलन था, प्रेमचन्द, जैनेन्द्र, रवीन्द्रनाथ, नन्दलाल बोस, एलिस बोर्नर, आचार्य कृपलानी, मालवीयजी, बलराज साहनी। काश, उसकी मृत्यु से पूर्व मैंने उसकी वह अमूल्य निधि बटोर ली होती। हजारीप्रसादजी के तो न जाने कितने पत्र थे उसके पास—गुरुदेव के बनाए चित्र, जिनके लिए पहाड़ी रंगों को, जयन्ती ने स्वयं अमर-कोश के वनौषधि पर्व से पढ़ जंगली फूलों को ढूँढ़-ढूँढ़कर तैयार किया था। गत वर्ष 'देश' पत्रिका में प्रकाशित रवीन्द्रनाथ के एक पत्र में उनकी अपनी प्रिय छात्रा जयन्ती का उल्लेख था कि कैसे उसने हरिद्रा, खदिर, पलाश, बुरुश से अभिनव रंग बनाए थे। मैंने, तत्काल काटकर, कटिंग जयन्ती को भेज दी। जब मिली तो मैंने पूछा—'कटिंग मिली?'

'हाँ, मिली तो थी, मैंने सिरहाने रख दी थी कि फ़ुर्सत से पढ़ूँगी—पता नहीं कहाँ चली गई—क्या लिखा था?'

उसका सिरहाना भानुमती का पिटारा था। दाड़िम, अखरोट के दाने, खाँड के खिलौने, पुड़ियों में रखे पहाड़ी मसालों—जम्बू 'गंध्रैणी' कस्तूरी के बीड़े। हमारे बचपन की तस्वीरें, दिवंगत जीजाजी का रूमाल। उस बहुरंगी भीड़ में भला रवीन्द्रनाथ के पत्र की क्या बिसात?

अपनी प्रतिभा का मूल्य जयन्ती स्वयं कभी नहीं आँक पाई। उसे तो आँका था गुरुदेव ने, आश्रम के गुरुजनों ने, हजारीप्रसादजी ने, जो कहते थे—

'कभी मेरी क़लम की उत्तराधिकारी जयन्ती ही होगी।' गुरुदेव ने उसका नाम रखा था 'भारत माता'। आश्रम में उसकी खिल्ली उड़ाई जाती। खद्दर की मोटी-मोटी साड़ियाँ बाँधती हैं, वह भी कितनी ऊँची। सिर ढाँपती है, नीचे आँखें किए चलती है, किसी से अनावश्यक बात नहीं करती—गुरुदेव के अनन्य स्नेह ने ही, उन्हें अहंकारी बना दिया है, आदि-आदि, किन्तु बात ऐसी नहीं थी। अहंकार से तो वह कोसों दूर थी—यद्यपि अहंकार करने को उसके पास बहुत कुछ था। रंग हम सबसे दबा होने पर भी यौवनावस्था में उसका आकर्षक व्यक्तित्व कैसा था, यह वही बता सकते हैं, जिन्होंने उसे तब देखा है।

इन्टर किया ही था कि दनादन रिश्ते आने लगे, किन्तु वह बहुत पहले ही आजन्म कुँआरी रहने की घोषणा कर चुकी थी। उसकी जिद को सब जानते थे, फिर भी माँ ने लाख समझाया, 'देख, ऐसे रिश्ते बार-बार नहीं आते, इतना अच्छा घर-वर, फिर कहाँ मिलेगा—तू अट्ठारह की हो गई है, तेरी बड़ी बहन तो चौदह वर्ष में ही माँ बन गई थी—लड़का आई.सी.एस. की परीक्षा देने विलायत गया है...।' पर जयन्ती का मुँह से छूटा 'नहीं' ब्रह्म वाक्य था।

उधर उसके एक प्रशंसक जिन्हें लॉर्ड कहा जाता था, हमारे गृह की निरन्तर परिक्रमा किए जा रहे थे। एक दिन, हम गरमी की छुट्टियों में घर आए तो देखा, बढ़िया ट्वीड का ओवरकोट पहने, मुँह में सिगार लगाए, लार्ड सीटी में कोई अंग्रेज़ी धुन, गुनगुना रहा था। उसके दुःसाहस से जयन्ती के तनबदन में आग लग गई। कहने लगी, 'देख तू मेरा एक काम करेगी, तो पाँच रुपये दूँगी—' उन दिनों उत्कोच की वह राशि पर्याप्त थी—'कहो।'

—देख, कल जब यह पट्ठा, खड़ा होकर सीटी बजाए, तो दीवार पर चढ़ तू इस बुलबुलिया के, इन ब्रिलैंटीन की जुल्फ़ों पर पिच्च से थूककर कहना—'जा भाग, मेरी बहन ने कहा है, वह तुझसे कभी शादी नहीं करेगी...'

दूसरे दिन सन्ध्या प्रगाढ़ होते ही कृष्ण की बंकिम मुद्रा में खड़ा लॉर्ड सीटी बजाने लगा। मैं दीवार पर बैठी बड़ी देर से, थूक का गोला बना रही थी। मुझे देख, भावी साली के रूप में उसने बड़े मोहक स्मित से मेरा स्वागत किया। बड़ी देर से मुख में संचित थूक प्रक्षेपण में, मैंने फिर विलम्ब नहीं किया। मेरा अचूक निशाना पलभर में, उन यन्त्र से सँवरी जुल्फों का सन्तुलन विकृत कर बैठा।

—'जा भाग, मेरी बहन ने कहा है, वह तुझसे कभी शादी नहीं करेगी।'

एक पल को कुमाऊँ का वह तत्कालीन सर्वाधिक चर्चित गबरू जवान, हतप्रभ रह गया, फिर हवा में वेग से बगटुट भागा। इसके बाद वह फिर कभी हमारी दहलीज पर नहीं दिखा बहुत दिनों, सुमित्रानन्दन पंत ने अपने कहानी-संग्रह 'पाँच फूल' में लॉर्ड के उस व्यर्थ प्रणय-निवेदन पर एक कहानी भी लिख डाली। मुझे पुरस्कार तो तत्काल मिल गया, किन्तु अपनी उस अशिष्टता के लिए मैं आज तक अपने को क्षमा नहीं कर पाई।

जयन्ती अपने निश्चय पर अडिग थी। इस बीच वह एफ.ए. कर, आश्रम में पढ़ाने भी लगी थी, वार्डन भी बन गई थी। उसका अधिकांश समय, उत्तरायण में ही गुरुदेव के पास बीतता, वे स्वास्थ्य-लाभ को मसूरी जाते या अल्मोड़ा, जयन्ती अवश्य उनके साथ जाती। गाँधीजी आए तो जयन्ती को ही उनकी अगवानी के लिए चुना गया। प्रसिद्ध छायाकार शंभु साहा की ली गई वह तस्वीर, दर्शनीय थी। जयन्ती का सहारा लेकर कार से उतर रहे बापू, बा और काली टोपी पहने किंचित झुके खड़े गुरुदेव।

मैंने गत वर्ष पूछा—'वह तस्वीर है क्या? या वह खो दी?'

'पता नहीं कौन एल्बम से निकाल ले गया।'

'और दार्जिलिंग से तुझे लिखी गुरुदेव की वह कविता?'

'वह भी न जाने कहाँ गई?'

मुझे कभी-कभी उस पर बड़ा गुस्सा आता, कैसी-कैसी अमूल्य वस्तुएँ खो दी थीं उसने। और कोई होता तो जीवनभर उन्हें भुनाता रहता। केवल गुरुदेव का बनाया एक चित्र, जो उसी के बनाए रंगों से बना था, अन्त तक उसके सिरहाने टँगा था।

बँगला में—'जयन्ती के—रवीन्द्रनाथ।' (जयन्ती को, रवीन्द्रनाथ)

देखा जाए तो वह सच्चे अर्थ में एक सच्ची समर्पित समाजसेविका थी। न जाने कितनों को पढ़ाया। कितने कन्यादान किए। पति डाक्टर थे। मुक्तेश्वर में दर्शनीय बँगला था, फूलों से भरा उद्यान, सिखे-पढ़े, बीसियों नौकर, जयकिशन, बिशनदत्त, दौलत, सलीम। दो-दो आस्ट्रेलियन गायें हथिनी-सी खड़ी रहतीं—दूध-दही इतना, कि पूरे मुक्तेश्वर में बाँटा जाता। कोई भी गर्भवती महिला, वहाँ आकर जी भरकर धारोष्ण दुग्धपान कर सकती थी। रसगुल्ले और सन्देश स्वयं अपने हाथों बनाती, वह भी ऐसे कि कलकत्ता के भीमनाग, बाम्बाजारी हलवाई लोहा मान जाएँ। उस पर मुफ़्त का इलाज और मुफ़्त

की दवा।

एक बार किसी घसियारे की नाक भालू ने चबा दी। साहसी घसियारे की पत्नी, पति और जेब में उसकी कटी नाक लेकर, रात दो बजे हमारे द्वार पर खड़ी हो गई—मैं भी उन दिनों बहन के पास छुट्टियाँ बिताने आई थी। माघ का महीना और दनादन बर्फ के गलीचे बिछते जा रहे थे। ॠतु कलेवरी देवद्रुम दियासलाई की तीलियों से, तड़ाक-तड़ाक कर गिरे जा रहे थे। उस पर बिजली भी चली गई थी। बाहर निकलना खतरे से खाली नहीं था।

उस नासिकाविहीन, अर्द्धमूर्छित घसियारे की पत्नी ने, जयन्ती के पाँव पकड़ लिए, 'डॉक्टरनी ज्यू हो, किसी तरह मेरे घरवाले को बचा लो।' रक्तरंजित, नासिकाविहीन उस बड़े-बड़े हबड़े दाँतवाले बराहदंती अतिथि को देख, मैं डर से काँपती भीतर भाग गई। देखते ही देखते बरामदा खून से भर गया। लग रहा था अभागे के शरीर का पूरा खून नासिका गह्वर से बहता चला जा रहा था।

जयन्ती भीतर गई, जीजाजी से कहा तो वे भड़क गए—'इतनी रात को अस्पताल और फिर मैं क्या छुट्टी पर नहीं हूँ? कह दो डॉ. सेन के पास जाए, आजकल वे ही मेरा काम देख रहे हैं।'

'कैसी बात करते हो। तुम छुट्टी पर हो या न हो, तुम्हें उसे ले जाना ही होगा।' जयन्ती भी अड़ गई।

'अरे, सुबह ले चलेंगे, बर्फ देख रही हो? अभी दौलत के कमरे में सुला दो—'

'मैं तुम्हारे साथ रहूँगी—फिर, दौलत अपने कमरे में क्या परिन्दे को भी घुसने देता है?'

ठीक ही तो कह रही थी। दौलत हमारे मायके का नकचढ़ा नौकर था। पच्चीस वर्ष तक हमारे घर की दीवारें कँपाता रहा। जब माँ का गलग्रह बन गया तो उसे जयन्ती के पास भेज दिया गया। अपने जनाना लटकों-झटकों के कारण, वह पूरे शहर में चर्चित था। अपनी धोती का ही पल्ला वह सिर पर डाल लेता और कमर को झटककर ऐसे चलता कि लोग मुँह छिपाकर हँसने लगते। मेरे बड़े भाई ने, उसका नाम रख दिया था, 'दमयन्ती', किन्तु दमयन्ती का क्रोध भयंकर था। दमयन्ती से साक्षात् दुर्वासा बना दौलत जयन्ती की रसोई का एकछत्र सम्राट् था। व्यंग्य बाण छोड़ने में ऐसा निपुण कि चोट सीधे मर्मस्थल पर होती। एक दिन जयन्ती की पार्कर क़लम खो गई। किसी बच्चे

को भेजा गया कि जा दौलत से पूछ आ, कहीं मेरी क़लम तो नहीं देखी! वह रसोई में रोटी सेंक रहा था–पूछा तो बोला, 'हाँ, कह दो दौलत रोटियों पर दस्तखत कर रहा है!'

वही दौलत क्या उस अनजान नकटे को अपने कमरे में सुला सकता था? बहरहाल रात को ढाई बजे, उस माघी विभावरी में, मैं जयंती, जीजाजी, घसियारिन, किसी तरह राम-राम जपते अस्पताल पहुँचे। न कोई वार्ड बॉय था न कम्पाउंडर, मोमबत्ती जलाकर उजाला किया गया और डेढ़ गजी शिकार टॉर्च के प्रकाश में शल्यक्रिया आरम्भ हुई।

'नाक लाया है रे?' जीजाजी ने पूछा।

'हाँ सरकार, खलत्यून छू' (जेब में है) पत्नी ने रक्त से सनी, तिमिल के पत्ते में लिपटी नाक, तत्काल जेब से निकालकर पेश कर दी। दो-तीन घंटे शल्यक्रिया चली और नाक जोड़ दी गई। शल्य चिकित्सक के रूप में, जीजाजी की ख्याति दूर-दूर तक थी, न उस छोटे से शहर में आधुनिक सुविधाएँ थीं न मृत्युंजयी औषधियाँ, किन्तु कुछ प्रकृति का औदार्य और कुछ नियति नटी की कृपा। मरीज ठीक होने लगा–होता भी कैसे नहीं? प्रकृति ने बर्फ की चादर तह चादर बिछा, पूरा परिवेश ही इम्यून कर दिया था, फिर जहर भी कैसे फैलता?

दो वर्ष बाद गई तो देखा वही कृतज्ञ मरीज, अपनी जुड़ी नाक के नीचे दगदगाती हँसी बिखेरता, बहन के द्वार पर खड़ा है। हाथ में, कार्तिकी श्वेत मधु का लबलबाता पात्र और गोघृत।

ऐसे ही एक बार उनका एक्स-रे लेनेवाला कर्मचारी जुए में अपनी परमा सुन्दरी पत्नी को हार गया। रोती-कलपती पत्नी जयन्ती के द्वार पर आ खड़ी हुई। 'मुझे बचा लो डॉक्टरनी ज्यू, हरामी मुझे जुए में हार आया है, कुल तीन हजार में।' निर्लज्ज पिटा जुआरी खड़ा-खड़ा टसुए बहा रहा था। जयन्ती ने उसे छुड़ा तो लिया पर फिर वह द्रौपदी स्वयं ही पतिगृह नहीं गई। नर्स की ट्रेनिंग दिला, जयन्ती ने ही उसे नौकरी दिला दी और शायद आज भी अपने पैरों पर खड़ी होगी। उसी पर मैंने कभी कहानी लिखी थी 'पिटी हुई गोट'। फिर आई सुजाता–बड़ी-बड़ी आँखें, छरहरी देह, सलोनी चितवन और वन्यहरिणी-सी विस्फारित दृष्टि। अधेड़ दुहेजू, शराबी पति दिन-रात ढोल दमामे-सा पीट-पीटकर दिन-रात ताने देता, 'बाँझिन राँड, चार साल में चूहे का

बच्चा भी नहीं जन पाई।' वह ससुराल से भागकर भुवाली, जयन्ती के पास आ गई। एकदम पहाड़ी वेशभूषा, काला इटैलीन का मक्खी बेल लगा सात पाट का लहँगा, क्रेप की नीली कुर्ती और कसी-मसी वास्कट। मेरी माँ ने अपनी अनुभवी दृष्टि से, उसे पल भर में तौल दिया—'जयन्ती, विदा कर दे इसे, बहुत पछताएगी, इसके लक्षण मुझे ठीक नहीं लगते, लहँगे का नाड़ा लटकाकर चलती है—नाड़ा लटकाकर तो वेश्याएँ चलती हैं।'

पर जयन्ती ने जो ठान ली, ठान ली। एक वर्ष में ही उसका काया-कल्प हो गया। चेहरे का लावण्य अब सौन्दर्य की देहरी पर खड़ा था—काजल से चिरी आँखें, जूड़े में दाड़िम का फूल, उलटे पल्ले की साड़ी और सधे कटाक्ष।

मैंने ही उसका नया नाम धरा था सुजाता। उन्हीं दिनों सुजाता फ़िल्म देखी थी और नैन-नक्श नूतन का-सा ही लगता था।

माँ की भविष्यवाणी शत-प्रतिशत सही निकली। सुजाता के काँटे में पहली मछली फँसी मेरे ही मायके में। बड़े भाई का नौकर गोरा-उजला गबरू जवान था। सुजाता पर ऐसा रीझा, कि नित्य सब्जी जलकर कोयला बनने लगी। फलतः जयन्ती को अपना आपका प्रवास, समय से पूर्व ही समाप्त करना पड़ा। सुजाता तो आग लगा, दामन बचाकर बेदाग़ निकल गई थी पर प्रणयी नहीं बचा। एक दिन सुना उसने आत्महत्या कर ली। जयन्ती को आत्मीय स्वजनों, पति और बच्चों की प्रताड़ना ने धैर्यच्युत कर दिया—फिर भी उसने सुजाता को असहाय नहीं रहने दिया। किसी सुदूर ग्राम में, ग्राम-सेविका बनाकर भेज दिया। फिर एक दूसरी आई, उसके प्रणय प्रसंग भी एकाध नहीं रहे। हारकर जयन्ती ने कसम खा ली—अब किसी लड़की को आश्रय नहीं दूँगी। फिर उसकी कसम तोड़ने विधाता ने एक पगली को भेज दिया। लाख खदेड़ा गया पर वह नहीं गई—कभी गाना गाती, कभी नाचती, बरामदे में पड़ी रहती। देखने में गोरी-उजली थी, किन्तु पति किसी और के चक्कर में था—अपने पति की इस प्रवंचना से वह पागल हो गई। एक दिन उसने एकान्त में जयन्ती से कहा—'सारा गहना चुरा, लँगोट बाँधकर चलती हूँ—हा-हा-हा!'

अभागिनियों का ऐसा विचित्र लॉकर शायद ही संसार में अन्यत्र हो। फिर एक दिन वह पगली बिना किसी से कुछ कहे भाग गई—तीसरे दिन किसी ने काट-कूटकर, लाश सड़क पर फेंक दी थी। फिर शरण ग्रहण करने एक वीभत्स कुष्ठ रोगी आ गया—सेब के पेड़ के नीचे उसे भी शरण मिली। जयन्ती को मैंने समझाया—'डॉक्टर मोजेज को तो मैं जानती हूँ, कहो तो मैं अल्मोड़ा

कुष्ठाश्रम में भिजवाने का प्रबन्ध करूँ—तेरे छोटे-छोटे बच्चे हैं, जीजाजी भी बड़बड़ा रहे हैं।'

'नहीं।'

उसकी समाज-सेवा आरम्भ हुई, जब वह स्कूल में पढ़ती थी। हमारी माँ ने बाढ़ में बह रही एक अनाथ कोली कन्या को पाल-पोसकर बड़ा किया था, नाम था पाँची बाई। ग्राम के सरपंच ने ही उसका नाम, जाति बताकर उसे माँ के पैरों में डाल दिया था।

पाँची बाई, चौदह वर्ष की हुई तो रवीन्द्रनाथ की कविता की पंक्ति साकार हो उठी, 'कंटाक्षेर बे मम पंचम शर।' वह मेरी माँ से 'बा' अर्थात माँ कहती थी, 'बा', उसने कहा, 'मुझे दूल्हा चाहिए।' घर भर उसके निर्लज्ज प्रस्ताव से स्तब्ध था। जयन्ती उसके लिए उसी का-सा एक अनाथ, अनाम कुलगोत्र का सुपात्र ढूँढ़ लाई। 'जीवाराम'। केसरिया साफ़ा पहने, वह अम्मा के सामने हाथ जोड़कर खड़ा हो गया।

जीवाराम का न घर-द्वार था न नौकरी। 'इसे पालेगा कैसे?' अम्मा ने पूछा तो उसने शरमाकर कहा, 'अन्नदाता, तमे छो ने।' (अन्नदाता, आप तो हैं ना!)

बस फिर क्या था, पाँची बाई को दान-दहेज गहना गुरिया देकर स्वयं अम्मा ने उसके पैर पूजे—बारात हमारे घर से विदा हुई और पिछवाड़े—हमारे सागर पेशे में समा गई। मथुरा की बेटी, गोकुल ब्याही। जीवाराम को ड्राइवरी सिखा, ड्राइवर बनाकर ही जयन्ती ने साँस ली। फिर टीकमगढ़ गए तो एक गड़रिया-दुहिता, पति-परित्यक्ता ललिता पधारी। एक आँख की कानी थी इसी से पति ने छोड़ दिया था। पर हमारे साथ चार वर्ष तक रही तो रंगरूप ही बदल गया। पति ने एक दिन मेले में देखा और मुग्ध हो गया। ललिता भी विदा हुई।

हम राजकोट में थे, जीवाराम पाँची की युगल जोड़ी ने, कुछ ही वर्षों में परिवार नियोजन की ऐसी धज्जियाँ उड़ाईं कि प्रत्येक वर्ष एक पाँचीबाई की गोद में तो दूसरा पेट में। राधाबाई, पोपट भाई आदि-आदि। एक दिन जब भरे-पूरे परिवार को छोड़ जीवाराम टी.बी. की चपेट में आ स्वर्ग सिधारे तो उसके बाद पूरा परिवार हमारे साथ रहा। कभी पहाड़, कभी बेंगलूर, पूरे तीस वर्ष रहकर पाँचीबाई को भी सौराष्ट्र के मोह ने खींच लिया।

हमारे पिता की मृत्यु हुई तो जयन्ती ने पूरे गृह की बागडोर थाम ली।

हमारी शिक्षा, बेंगलूर से पहाड़ की सुदीर्घ यात्रा। अब सोचती हूँ, उसने कैसे यह सब किया होगा? मैं जानती थी कि एक न एक दिन वह गृहस्थी के बन्धन में अवश्य बँधेगी। बहुत पहले हमारे घर आई एक विलक्षण सिद्ध भैरवी ने, चावल की मूठ फेंक, लाल-लाल आँखें कपाल पर चढ़ा, मेरे प्रश्न का उत्तर दिया था—'हाँ-हाँ, तेरी बहन शादी करेगी, अवश्य करेगी।'

वही हुआ, विवाह अचानक ही हुआ वह भी घर भर के विरोध के बावजूद। उसने स्वयं अपना वर चुना। जीजाजी सुदर्शन थे। उच्चपदस्थ चिकित्सक थे। रुचि में, पहनावे में सौ फीसदी अंग्रेज़ किन्तु यक्ष्मा की विकट व्याधि भोग चुके थे। उन दिनों क्षय रोग का अर्थ ही था आसन्न मृत्यु, किन्तु जयन्ती ने साक्षात् सावित्री बन अपने सत्यवान को बचा लिया—गृहस्थ सुख भी भोगा, सन्तान सुख भी। किन्तु वृद्धावस्था में जीजाजी की मृत्यु के बाद वह स्वयं जीने की इच्छा खो बैठी। फिर भी अन्त तक उसकी प्राणशक्ति अदम्य थी—दिन भर रसोई में नाना पकवान बनाती, खाती, खिलाती, अचार-मुरब्बे न जाने क्या-क्या! अतिथियों से घर भरा रहता, अतिथि भी ऐसे कि 'चित्त भी मेरी पट में मेरी, अंटा मेरे बाप का।'

मेरे पास वह एक-दो बार ही आ पाई। हिन्दी संस्थान का पुरस्कार ग्रहण करने आई, तो एक बार फिर वही पुराने दिन लौट आए, 'याद है तुझे, याद है?'

उसके दो पूर्व परिचित बौद्धभिक्षु गोरखपुर से, उससे खरोष्ठी लिपि के लिखे भोज-पत्र पढ़वाने चले आए और पल भर में उसने उनका संस्कृत अनुवाद कर थमा दिया। काठमांडू गई तो पशुपतिनाथ के दर्शन कर, तत्काल सुन्दर श्लोक लहरी, रचकर चढ़ा आई। फिर पचहत्तर वर्ष की उम्र में जराजीर्ण देह सैकड़ों सीढ़ियाँ पारकर पहुँची, 'तुंगनाथ'—वहाँ भी उनकी महिमा में धाराप्रवाह श्लोक, पहाड़ी झरने से उसके पोपले मुँह से झरते रहे। पुजारी अवाक् खड़ा देखता रहा—'धन्य हो माँ सरस्वती।'

'सरस्वती नहीं हूँ पुजारीजी, सरस्वती की सेविका' ऐसी विदुषी और ऐसी प्रतिभा, किन्तु रवीन्द्रनाथ के हीं शब्दों में—जयन्ती रही—'जे नदी मरुस्थले हारालोधारा' (वह नदी जो मरुप्रान्त में खो गई।)

मृत्यु के कुछ दिन पूर्व उसने असह्य पीड़ा सही। बीच-बीच में कोमा से

डूबती-उतराती लौटती तो असहाय अनचीन्ही दृष्टि से इधर-उधर देखती। पैर सूजकर कुप्पा हो गए थे। मैं कुछ दिनों तक रुकी, फिर जब उससे अन्तिम विदा लेकर चलने लगी, तो आँखें भर आईं। वह मुझे पहचान रही थी पर उसकी आँखों में अब आँसू नहीं रहे। अन्तर्वर्ती शोकाग्नि ने आँख के आँसुओं को शायद सुखा दिया था। आखिरी बार देखा तो वह शान्त, निःस्पंद प्रतिमा-सी एकटक छत को निहार रही थी और मेरा कलेजा फटा जा रहा था।

मुझे कभी-कभी लगता है, समय के साथ-साथ अब रिश्ते भी बदल गए हैं। जो प्रेम, हमारी पीढ़ी के भाई-बहनों में था, वैसा प्रेम इस पीढ़ी में नहीं रहा। हम लड़ते भी थे, झगड़ते भी थे, एक-दूसरे को जली-कटी भी सुनाते थे पर हममें से एक भी हमसे बिछुड़ता तो लगता था, स्वयं हमारा एक अंग विलग हो गया। आज कई परिवार मैंने ऐसे देखे हैं जो समृद्ध हैं जो समृद्ध होने पर भी, पैतृक सम्पत्ति के बँटवारे के लिए, साँप-नेवले से एक-दूसरे के खून के प्यासे बन उठते हैं।

'जयन्ती, मैं जा रही हूँ,' मैंने रुँधे गले से कहा—मैं जान गई थी कि यह हमारी अन्तिम भेंट है। उसकी स्थिर दृष्टि, शून्य ही में निबद्ध रही—तब क्या वह निर्मोह वैराग्य का सूत्र पकड़ चुकी थी?

सुना मृत्यु से तीन-चार दिन पहले, वह फिर अपनी स्वाभाविक अवस्था में लौट आई थी। मैं दिन भर उसके पास बैठी रही—एकान्त का सुअवसर पा, वह मुझे अपने हृदय में गोपनीय कक्ष में खींच ले गई थी। मेरी छोटी बहन मंजुला, अपने पति के साथ रात-दिन उसकी सेवा में खड़ी रहती। पर उस दिन हम दोनों ही अकेली थीं। जयंती के छोटे पुत्र पुष्पेश ने उसकी अन्त तक ममतामयी सेवा की। पर उसकी नौकरी भी थी। वह काम पर जाता तो वह प्रायः अकेली पड़ी रहती—असहाय-विवश। जननी के हृदय में यत्न से छिपाए गए नासूरों पर सन्तान की दृष्टि पड़ती भी कम है। तिस पर रोग ने उसे चिड़चिड़ी बना दिया था, नवीन पीढ़ी की उदासीनता, अबाध्यता, अशिष्टता झेलती वह अवश हो गई थी।

'तूने अपनी किसी कहानी में एक बड़ी अच्छी बात लिखी है पुत्र की नाल दो बार कटती है, एक बार जब वह माँ के गर्भ से विलग होता है, दूसरी बार तब, जब उसका विवाह होता है।' फिर हँसकर उसने मेरा हाथ धीरे से दबा दिया।

एक वयस के बाद, वाणी लाख समर्थ होने पर भी जो नहीं कह पाती,

स्पर्श अपने सामान्य दबाव से ही बहुत कुछ कह जाता है।

उस दिन उसका वह स्पर्श मुझसे बहुत कुछ कह गया था। दिन भर अकेली पड़ी-पड़ी, पुरानी बातें याद करती रहती हूँ। कॉलेज की, शिलांग की, बेंगलूर की, ओरछा की, राजकोट की, याद है तुझे, अम्मा कितनी मीठी आवाज में गरबा गाती थी–

'आज तो सपना मा मने
डोलता डुंगर दीव्याजो'

(अरी आज सपने में मुझे डोलते पहाड़ दिखे)

शायद, उसके सिरहाने खड़ी मौत उसे कुमाऊँ की वे ही विस्मृत गिरि श्रेणियाँ दिखा रही थी जो कभी हम अपने आँगन की ऊँची दीवार पर बैठ कर देखती थीं–कामेत, नन्दा देवी, त्रिशूल, बानड़ी...।

मुझे उसके हृदय में गड़े एक-एक गोखरू कंटक की अभिज्ञता थी किन्तु फाँस को, आज तक कौन निकालकर दूर फेंक सका है? वह तो जितना निकालने की चेष्टा करो, उतनी ही गहराई में धँसती जाती है। शायद यही कसक, उसको विपरीत दिशा में खींच ले गई थी। परनिन्दा में उसे परम आनन्द आने लगा था। सगे-सम्बन्धियों ने उसकी इस दुर्बलता को जमकर भुनाया। पहले उसे खूब बकाते, फिर उसकी अविवेकी बतकही में नमक-मिर्च लगा, इधर-उधर फैलाते–

'वह ऐसा कह रही थी'–

'तुम्हारी निन्दा करते नहीं अघा रही थी।'

'सठिया गई है, हर वक्त खाँऊ-खाँऊ...'

'अरे हमेशा से ही लोगों को असली मुर्गों-सा लड़ाती थी, आज कौन नई बात है', आदि-आदि।

किन्तु कैसा है उसका वैदुष्य। उसका अकपट हृदय कैसा दर्पण-सा स्वच्छ है। वह कितनी परम् करुणामयी भी तो हैं, सर्वस्व त्यागकर अपना खजाना लुटानेवाली औघड़ दानी। यह सब किसी ने नहीं देखा–अन्त में उसका ख़ज़ाना एकदम खाली हो चुका था। घरवाले जानबूझकर हाथ में रुपया नहीं देते थे कि लाख रुपया भी देंगे तो लुटा देगी। पूरी पेंशन तक वह पहले ही दान कर चुकी थी। एक चमत्कारी कछुआ अवश्य उसके साथ अन्तिम साँस तक रहा। सत्तर वर्ष पूर्व, महासिद्ध नारद बाबा का उसे दिया किसी धातु का बना

कछुआ।

'एक ताँबे का पैसा भी इसे छुआएगी तो चाँदी का रुपया बनकर, तेरे बटुए में स्वयं आ जाएगा।' उन्होंने कहा था—हम भाई-बहन भले ही उस चमत्कारी कछुए की पीठ-पीछे हँसी उड़ाते हों, लुकछिपकर, अपना-अपना बटुआ उसके कलेवर से हम एक न एक बार छुआ ही आते थे। स्वयं मैंने कई बार ऐसा किया और फिर मेरा बटुआ कभी खाली नहीं हुआ। प्रातः छुआया तो सन्ध्या होते-होते या रॉयल्टी या कोई साहित्यिक पुरस्कार या किसी कहानी का अप्रत्याशित पारिश्रमिक मिला अवश्य।

उसकी मृत्यु से सात-आठ दिन पहले उससे कहा—'जयन्ती, भुवाली में तेरा अपना बँगला है, चली क्यों नहीं जाती, थोड़ा बदलाव हो जाएगा, यहाँ दिन भर पड़ी-पड़ी सोचती रहती है। तुझसे बहुत छोटी हूँ पर इतना बता दूँ आदमी को बीमारी नहीं मारती, मारती हैं यादें।'

वह हँसी, सूखे पपड़ी पड़े ओठों पर क्षण भर को तिरती वह करुण हँसी, मैं कभी नहीं भूल पाऊँगी—मेरा हाथ पकड़ उसने अपने ज्वरतप्त हाथों में दबाकर, क्षीण स्वर में कहा—

सर सूखे पच्छी उड़ै औरे सरन समाय।
दीन मीन बिन पच्छ के कहु रहीम कहँ जाय?

स्वरलय नटिनी

प्रत्येक पितृविसर्जनी अमावस्या को मैं उनका श्रद्धापूर्वक स्मरण करती हूँ। ऐसी पुण्यतिथि वर्ष में एक बार ही आती है, उस दिन हम पितरों को स्मरण अवश्य करते हैं। जैसे-जैसे उस दिवंगत प्रतिभा को तिरोहित हुए वर्ष बीतते चले जाते हैं, वैसे-वैसे उनकी अनेक मधुर स्मृतियाँ मानसपटल पर अंकित होकर विह्वल करने लगती हैं। इस युग में जब धीरे-धीरे संगीत की परिभाषा ही बदलती जा रही है, उनका स्मरण और भी महत्त्वपूर्ण बन गया है। श्री मल्लिकार्जुन मंसूर ने अपने दूरदर्शनी साक्षात्कार में एक बड़ी पते की बात कही थी कि पहले से आज श्रोताओं की संख्या तो बढ़ी है, किन्तु उन मुट्ठी-भर पहले के निष्ठावान जानकार श्रोताओं में और आज के श्रोताओं में अन्तर अवश्य है। वे दिन, जब हम केवल एक दरी पर बैठ पूरी रात, किसी प्रख्यात संगीतज्ञ की सुबह की भैरवी सुनने, आँखों-ही-आँखों में काट देते थे, अब बीत गए हैं।

जब किसी भी देश का शासनतन्त्र, जनतांत्रिक होने लगता है, जो जनसंख्या बल के आधिक्य के कारण जन-संस्कृति कभी-कभी संस्कृति को ही धक्का देकर पीछे कर देती है। इस युग में जनप्रियता को ही, श्रेष्ठ कला का एक लक्षण माना जाने लगा है। आप किसी भी 'ग़ज़ल सन्ध्या' या दूरदर्शन पर आयोजित 'ग़ज़ल मंच' का अवलोकन करें, आप देखेंगे कि ग़ज़ल को लोकप्रिय बनाने के लिए शैल्पिक प्रौद्योगिक साधनों का प्रयोग प्रचुर मात्रा में किया जाने लगा है। ग़ज़ल गायकी अब वह ग़ज़ल गायकी नहीं रही, जब दुलारी, कमला झरिया, 'भाई छैला पटियाले वाला' गायक हमारे हृदयों को आलोड़ित कर देते थे। दुलारी का 'नौ बनो है सदमा हाएत्दर्दे दिल-दर्दे दिल' या भाई छैला का, 'तुरबत से आने लगी ये सदा' या मास्टर मदन का कोकिल कंठ, जो ग़ज़ल को प्राणवंत बना अरसिकों को भी रसिक बनाने में समर्थ था,

हमारी नवीन पीढ़ी के लिए वह अब स्वप्नवत हो गया है।

अब तो एक पंक्ति के साथ बीसियों कानफोड़ू वाद्य-यन्त्र हैं, जिनके अरण्य में गायक या गायिका का सुकंठ ही खोकर रह जाता है, साथ ही ग़ज़ल चयन का नैपुण्य भी अर्थहीन बन जाता है। उस पर बतानेवाली ठुमरी का-सा गायिका का भावदर्शन, गहनों की जगमगाहट, गाते-गाते कूल्हों की मटकन, कटाक्षों का औदार्य कुछ श्रोताओं को भले ही लुभाने में समर्थ होता हो, ग़ज़ल फिर पूर्णनिष्ठा से सुनी जानेवाली चीज़ नहीं रहती। साथ में कभी हरे-भरे वन, झील, झाड़फानूसों के बीच घूमती केश छिटकाए गाती ग़ज़ल गायिका, फिर उस मोहक परिवेश की सृष्टि नहीं कर पाती। इस प्रकार की गायकी से हम कला का अवमूल्यन अवश्य कर रहे हैं।

आज भी हमारे यहाँ दर्द-भरे सुरीले कंठ हैं, किन्तु उन कंठों का हम समुचित प्रयोग करने में असमर्थ ही प्रतीत होते हैं। पुरानी ग़ज़ल गायकी का स्मरण दिलानेवाला एक कंठ अवश्य अब भी उस दर्द-भरे परिवेश की सृष्टि करने में समर्थ है, जगजीतसिंह का। बिना किसी वाद्ययन्त्रों की बैसाखी के वह आपके हृदय का स्पर्श अवश्य करता है। इस ऑटोमेशन से हम कला का जो अवमूल्यन कर रहे हैं, उसका प्रभाव श्रोता के पूर्व की ध्यानमग्नता को, निष्ठा को खंडित अवश्य कर रहा है। पहले का श्रोता पूर्ण ध्यानमग्नता से कला का आस्वादन करता था, यह सोचकर कि पता नहीं फिर वह चीज सुनने को मिले या नहीं, पर आज ऐसी कोई आशंका उसे विचलित नहीं करती। शैल्पिक प्रयुक्तियों की धुआँधार अभिवृद्धियों से वह कभी भी कैसेट सुनकर अपने विश्वास के क्षणों को सुखद बना सकता है। सत्यनारायण की कथा से लेकर भजन, ग़ज़ल, भक्ति संगीत, शास्त्रीय-संगीत जैसी चाहें वैसे थाल का ऑर्डर दे दें। यही कारण है कि आज अदृश्य श्रोता की अर्पित निष्ठा आकाश कुसुमवत होती जा रही है। संगीत पुण्यवस्तु का रूप धारण करता जा रहा है।

दूसरा कारण है कि हमारी सौन्दर्य चेतना अब मौलिकता पर नहीं, अनुकरण पर निर्भर होती जा रही है। बेगम अख़्तर संगीत का एक ऐसा कोहेनूर थीं, जिन्होंने केवल अपनी खरी चमक से ही जनप्रियता भी हासिल की, संगीतविदों की मान्यता भी। कला जैसे उच्च सांस्कृतिक प्रयास को लोकप्रिय बनाने के लिए उनके अपने स्तर से नीचे उतरने का प्रश्न ही नहीं उठ सकता था।

मैंने उनका वह रूप भी देखा है, जब वे सौन्दर्य ऐश्वर्य मंडिता, ख्याति के सोपान पर चढ़ रही थीं। मुझे उनका वह ठसका आज भी दो के पहाड़े-सा कंठस्थ है। मेरे पिता तब रामपुर नवाब रज़ाअली ख़ान के गृहमन्त्री थे। हमारी पर्दा लगी 'ब्यूक' गाड़ी ही उन्हें लेने स्टेशन गई थी। वे पहले हमारे यहाँ ही उतरीं। बैंगनी रंग की जार्जेट की साड़ी, बाँहों में फ़्रिल लगा ब्लाउज़, जैसा कि उन दिनों चलन था, हाथों में मोती के कंगन, कानों में झिलमिलाते हीरे, अँगुली में दमकता पन्ना, कंठ में मोतियों का मेल खाता कंठा, पान दोख़्ते से लाल-लाल अधरों पर भुवनमोहिनी स्मित, ये थीं अख़्तरीबाई फैज़ाबादी।

फिर मैंने वर्षों बाद उनकी प्रौढ़ जीवन की वह गोधूलि भी देखी है, जब वे ख्याति के उत्तुंग शिखर पर आसीन थीं। न अहंकार, न आत्मश्लाघी प्रलाप, संगीतानुष्ठानों में भाग लेने वयस की क्लांति को भुला वह अंत तक यायावर बनी कहाँ-कहाँ घूमती रहीं! उनकी वह अक्लान्त वात्सल्यमयी मुख-मुद्रा स्मरण करती हूँ, तो लगता है, मंचीय शिष्टाचार की ऐसी साकार मूर्तियाँ अब किसी अतीत के गह्वर में सदा के लिए विलीन हो गई हैं।

ऐसा नहीं है कि आज ऐसी प्रतिमा का नितान्त अभाव है, किन्तु अगाध लोकप्रियता, वैसी ही भारी पारिश्रमिक की धनराशि, अनावश्यक चाटुकारिता ने कुछ अंशों में हमारे कलाकारों की उच्च नासिका को बढ़ा ही दिया है। इसी से हमें बेगम अख़्तर जैसी संगीत साधिका के जीवन से शिक्षा लेनी चाहिए। मैंने कई बार देखा था कि वह अपनी असंख्य शिष्याओं में से अनेक को अपने साथ मंच पर बिठा, अपने गाने की एक आध पंक्ति गाने का भी सुअवसर देती थीं उनमें से प्रत्येक प्रतिभाशालिनी सुकंठी गायिका हो, ऐसी बात नहीं थी। मैंने एक बार कहा भी, तो बोलीं, 'देखो, इससे उनका हौसला बढ़ता है, तो हर्ज़ ही क्या है?'

वर्षों पूर्व, उन पर एक लेख लिख रही थी। उनकी एक शर्त थी, लेख छपने से पहले उन्हें सुनाना होगा, कोई भी पंक्ति उन्हें नहीं रुची तो उसे काटना पड़ेगा। उनके पति अब्बासी साहब से भी मेरा परिचय उतना ही प्रगाढ़ था। ऐसे आनन्दी प्रकृति के शिष्ट स्नेही व्यक्ति बहुत कम ही होते हैं। 'आकाशवाणी' के ऑडिशन बोर्ड में उनके साथ लम्बे अर्से तक रही थी। ईद के दिन मेरी परिक्रमा उन्हीं की कोठी से प्रारम्भ होती थी। छोटे कमरे में आलमारी में ठसी पुस्तकें, लम्बी बारादरी में लगा झूला, तख़्त पर बिछी चाँदनी,

उस पर पानदान सामने धर, राजमहिषी-सी विराज रही होतीं अम्मी (बेगम अख़्तर)।

एक दिन मैं कुछ देर से पहुँची तो बोलीं, 'अख़्ख़ाह, अब लगा ईद आई...' फिर मुझे छेड़ने मेरी ओर सिगरेट केस बढ़ा हँस पड़ीं। जिस दिन मेरा लेख पूरा हुआ, दोनों ने एकसाथ सुना। उनकी आँखें छलछला आईं, बोलीं, 'अल्लाह जानता है, हम पै बहुत लिखा गया है, पर इत्ता उमदा किसी ने नहीं लिखा।'

वही लेख 'कोयलिया मत कर पुकार' 'नवनीत' में छपा। मैं एक कॉपी लेकर गई, तो उन्होंने मुझे जो पुरस्कार दिया, वह आज तक मेरी अँगुली से विलग नहीं हुआ।

वह दिलकश आवाज़, स्नेह से छलकती वे रससिक्त आँखें और वह स्वरभंग होती हँसी मेरे जीवन की संचित बहुमूल्य धरोहर हैं।

सौभाग्य से, अपने इस दीर्घजीवन में अनेक स्वनामधन्या सुरसाधिकाओं को सुनने का सुअवसर प्राप्त हुआ है, मंगूबाई करडीकर, जद्दनबाई, दुलारी, कज्जन, राधारानी, असग़री, सिद्धेश्वरी देवी और भले ही मेरी वह कच्ची वयस, उन कंठों की सिद्ध बाजीगरी आँकने की क्षमता न रखती हो, उनके शिष्ट सुघड़ सलीक़ेदार मंचीय शिष्टाचार को तो समझ ही सकी थी। ऐसे ही एक अद्भुत कंठ की महिमा मैं आज तक नहीं भूल पाई हूँ। प्रचार-प्रसार से बहुत दूर अपनी संगीत की दुनिया में स्वयं तिरोहित हो गए महाराज ओरछा के ए.डी.सी. राम नज़रबख़्श सिंह। देखने में काले, ऊँचे रोबदार आकृति के स्वामी, किन्तु गाने लगते तो अमृत बरसता। भैरवी में स्वयं निबद्ध की गई उनकी 'ये न थी हमारी क़िस्मत जो विसाले यार होता' की तड़प सुननेवालों को सचमुच तड़पा देती।

वे स्वयं अवध के प्रसिद्ध ताल्लुक़ेदार के परिवार में जन्मे थे। न जाने कैसे ओरछा आकर महाराज बीरसिंहजू देव के ए.डी.सी. बन गए। उनके पास ऐसी-ऐसी बंदिशों का भंडार था, जो उनके साथ ही विलुप्त हो गया। उन्हें लोग बी.एन.आर. नाम से ही पुकारते थे। मेरे भाई के मित्र थे, जो स्वयं भी संगीत प्रेमी थे और यही कारण था कि दोनों की मैत्री और प्रगाढ़ हो गई। हमारे यहाँ आते तो घंटों संगीत की महफ़िल जमती। बी.एन.आर. भैया में एक ऐब था। ऐसा धाकड़ पीनेवाला शायद ही रियासत में कोई और हो! पर पीने पर ही वे अपने असली रंग में आते। बेगम अख़्तर से उनका परिचय तब

का था, जब वह गाने के लिए हैदराबाद गई थीं और निज़ाम ने उनकी प्रत्येक फ़रमाइश पूरी की थी।

वह ही सुनाते थे कि 'उस रसपगी महफ़िल में मैं भी था। क्या गाया था अख़्तरी ने! वैसी गायकी फिर कभी नहीं सुनी। एक के बाद एक तोहफ़े आते रहे। अन्त में निज़ाम ने पूछा, और कुछ?'

'जी' बेगम अख़्तर ने सोचा ऐसी चीज माँगें, जो उस शाही दरबार में तत्काल पेश न की जा सके, 'आँवले का मुरब्बा' उन्होंने कहा और पलक झपकते ही बड़ी-बड़ी बेहंगियों में अमृतबान लटकाए पेशेदारों ने तत्काल मनचाही फ़रमाइश पूरी करके दिखा दी। ऐसे न जाने कितने किस्से उनके पास संचित थे। मुझे उन्होंने ऐसे कितने ही दुर्लभ दादरे सिखाए। उनकी एक प्रिय रचना राजा महमूदाबाद रचित विहाग में उन्होंने स्वयं निबद्ध की थी। हमने यह एक बार अख़्तरी को सुनाई, तो वह रो पड़ी थीं।

जब वह आँखें बन्द कर, भावविभोर हो हमें ही रचना सुनाते तो लगता, सचमुच ही जेठ के द्विप्रहर में भी सावनी घटा लहराने लगी है—

जब घटा आती है
सावन में रुला जाती है
आदमीयत से गुज़र जाता है
इंसा बिल्कुल
जब तबीयत किसी
माशूक पे आ जाती है।

ईसुरी की फागें गाने में उन्हें कमाल हासिल था। महाराज ओरछा को उनकी गाई एक चीज बेहद पसन्द थी—

आए सावन के महीना
गोरिया गोदना गोदाएले गोरिया

ऐसे ही मियाँ मल्हार में गाया उनका 'बरसे जा बरजे जा', जो उन्होंने विद्याधरी से सीखकर कंठ में सेंत लिया था, किन्तु वह विलक्षण प्रतिभा असमय ही नष्ट होकर अरण्यपुष्प-सी अनाघ्रात ही धरा में मिल गई। अत्यधिक मदिरा सेवन यकृत पहले ही चौपट कर चुका था। उन्हीं की प्रिय पंक्ति उनके अन्त को साकार कर गई—

न कहीं जनाज़ा उठता
न कहीं मज़ार होता

उस युग में गायिकाओं एवं गायकों की गायन के प्रति कैसी निष्ठा थी, इसका वर्णन श्री अमृतलाल नागर ही ने अपने रिपोर्ताज 'ये कोठे वालियाँ' में एक रोचक संस्मरण में किया है। यह घटना उन्हें, मुनीरजान ने सुनाई थी—

एक बार सुप्रसिद्ध गायिका गौहर एवं दरभंगा राज दरबार की गायिका रूपसी बेनज़ीर का गायन एक साथ एक ही मंच पर आयोजित हुआ। एक और दबंग, आत्मविश्वासी गायिका गौहरजान, जिसने कभी कलकत्ते में लाटसाहब की गर्वोन्नत ग्रीवा भी झुका दी थी, दूसरी ओर अनमोल हीरे-जवाहरात में जगमगाती, अनिंद्य सुन्दरी बेनज़ीर! जब बेनज़ीर रियाज़ कर रही थी, तो गौहर ने एक ही आलाप में भाँप लिया था कि प्रतिद्वन्द्विनी कितने गहरे पानी में है। हँसकर बोलीं, 'बेनज़ीर, तुम्हारे ये हीरे तो सेज पर ही चमकेंगे, महफ़िल में तो हुनर चमकता है।'

बेनज़ीर भी एक ही थी। सारे गहने उतार पोटली में बाँधे और सीधी पहुँची पूना अब्दुल करीम ख़ाँ के वालिद के पास। पोटली उनके पैरों पर रखी और बोली—'उस्ताद, इस नाचीज को इस क़ाबिल बना दीजिए कि गौहरजान को जवाब दे सकूँ।'

उस्ताद ने कहा, 'उठा लो अपनी पोटली। जिस लगन से तुम मेरे पास सीखने आई हो, उसी लगन से मैं तुम्हें सिखाऊँगा...'

दस वर्ष पश्चात गुरु की विद्या ग्रहण कर फिर बेनज़ीर गौहर के पास पहुँची। एक घंटे तक केवल ऋषभ की बढ़त सुनाई। प्रसन्न होकर गौहर बोलीं, 'सुब्हान अल्लाह, बेनज़ीर तुम्हारा हीरा अब चमका है।'

तो ऐसी थी गायक की निष्ठा और वैसी ही ईमानदार आलोचना।

वैसी निष्ठा आज नहीं है, ऐसी बात नहीं है, पर कहीं-न-कहीं हम भटके अवश्य हैं। भौतिक सुखों की खोज में, विदेश जाकर अपनी भारतीय संस्कृति की पताका फहराने में हम अधिक पारंगत हुए हैं। यह हम भूल जाते हैं कि पहले अपनी संस्कृति की पताका स्वदेश में फहराना हमारा प्रथम कर्तव्य है। केवल संगीत के व्याकरण की शुद्धता ही उसे नहीं बचा सकती। मनुष्य के हृदय को आपने विजित कर लिया, तो उसके दिमाग़ को तो आप अनायास ही विजित कर लेंगे। रवीन्द्रनाथ जो विश्व कवि ही नहीं थे, एक सिद्ध संगीतज्ञ भी थे, इस विषय में बड़ी खरी पंक्तियाँ लिख गए हैं। वह लिखते हैं, 'जिस प्रकार एक जीवंत भाषा परिवर्तनशील है और जब तक भाषा जीवित है, परिवर्तन अवश्यंभावी है, जिस प्रकार व्याकरण भाषा को मरने से नहीं बचा

सकती, बहुत हुआ तो प्राचीन मिस्त्रवासियों की भाँति उसे मृत ममी बनाकर बचा सकती है।'

संगीत को केवल उसका व्याकरण नहीं बचा सकता, सेंत भर सकता है। मेरे विचार में संगीत को भी कविता की भाँति, व्याकरण की बेड़ियों से मुक्त करना चाहिए। यूँ कि व्याकरण की शुद्धता रहे अवश्य, किन्तु अपनी क्लिष्टता के कारण वह संगीत के रस को बोझिल, शिथिल न बना दे।

भाषा की ही भाँति, संगीत में परिवर्तन तो होता ही रहेगा, प्रयोग भी निरन्तर होंगे, हमें केवल इसी दिशा में सजग रहना चाहिए कि वे प्रयोग हमारी संस्कृति को ही कभी पीछे न धकेल दें।

नथुनिया ने हाय राम...

कभी-कभी अनजाने, जीवन के किसी अनदेखे अनचीन्हे चौराहे पर, वर्षों का पूर्वपरिचित चेहरा देखने पर भी, स्मृति पहचानने से साफ मुकर जाती है, पर उस चेहरे के विलुप्त होते ही, जब स्मृति सहसा चैतन्य होकर, उसे पुकारने को व्याकुल हो उठती है, तब फिर कुछ हाथ नहीं लगता। इतने बड़े विश्व की, किस गली की, भूलभुलैया में, वह बड़े भाग्य से मिला प्रिय चेहरा खो जाता है, हम लाख सिर पटकने पर भी, फिर नहीं जान पाते। मेरे साथ भी, गत माह स्मृति ने ऐसे ही छलावा किया, जिसे, कुछ क्षणों के लिए देखा, और जो सहसा तरकस से निकले, सधे हाथ से छूटे तीर-सी निकल गई, उसे मैं फिर, उस जन-शून्य निभृत जंक्शन के दोनों ओर दृष्टि दौड़ाने पर भी नहीं खोज पाई। धूमिल से सिग्नल के नीचे, सिर पर विवर्ण पोटली धरे, वह क्षीण काया, उसी क्षितिज में विलीन हो गई। मैंने उसे पहले पहल देखा, वह लाल अतलस की, चौड़ी पाँचे की शलवार और ऊँचे अबरकी दुपट्टे को, बड़े यत्न से सम्हालती, हमारी गाड़ी से उतरी थीं। पीछे थी उनके ठसकदार बुआ जान। उनके पीछे, उनकी रंग-बिरंगी दासियों की कतार में, कोई उनका गुम्बदनुमा पानदान थामे थी, कोई दशहरी आमों की टोकरी और किसी ने उनका धूल में लुटा जा रहा रेशमी दामन ही थाम लिया था। प्रत्येक वर्ष लखनऊ से आने पर, वे हमारे यहाँ लखनऊ की छोटी-मोटी सौगातें लेकर मिलने आतीं, गुलाबपगी रेवड़ियाँ, दशहरी आम और एक ऐसी मनभावनी सौगात, जिसे अब शायद लखनऊ ने बनाना ही छोड़ दिया है। मौसमी फलों के शत्रु ओलों के आकार के सफ़ेद दूधिया ओले, जिनका एक गोला बर्फ़ डाले हिम शीतल पानी में डालते ही, कलेज़ा ठंडा करनेवाला, सुपेय शरबत तैयार हो जाता था। उसमें चीनी के साथ-साथ, केवड़े की दिलकश खुशबू और पिसी सौंफ की मह-मह

महकती मोहिनी सुगन्ध भी मिश्रित रहती। कभी-कभी हम, बिना पानी मिलाए ही ओले के वे मनमोहक गोले चबा डालते। ओलों की ही-सी मिठास भी रहती, जान की बातों में। शरीर भारी होने पर भी चेहरे पर ऐसी दुग्ध धवल स्निग्धता थी, सुरमा भरी आँखों की मदभरी चाशनी में कुछ ऐसा अद्‌भुत आकर्षण था कि जी चाहता घंटों उनके पास बैठे उनकी लच्छेदार बातें सुनते रहें। एक बार मेरी दाढ़ में दर्द था, वे मिलने आईं, तो चट सिरहाने बैठ, मेरा गाल सहलाने लगीं, उस गुदगुदी सुकोमल हथेली का स्पर्श, हिना की मदिर सुगन्ध अभी भी उतनी ही ताजी लगने लगी है, जैसे किसी ने दिलपसन्द रेशम का टुकड़ा गाल पर धर दिया हो।

लखनऊ में, उनकी विराट् हवेली थी, शायद अब भी हो, उन्हीं के नाम के साथ संयुक्त 'मंज़िल'। दीवारों पर लगे आदमकद आईने, सफ़ेद झकझक बिछी चाँदनी, गावतकिये, दर्शनीय नग्न मूर्तियाँ, संगमरमर का फव्वारा और सबसे विचित्र कहीं कुछ न जलने पर भी, पूरे कमरे में उठती, कोई अदृश्य अम्बरी सुवासित धूम्ररेखा। महाराज ओरछा की विशेष कृपा उन पर रही। एक दादरा 'चले जाइयो बेदरदा मैं रोय मरी जाऊँ' पर उन्हें महाराज से, एक जागीर पाने का भी सौभाग्य प्राप्त हुआ था। कंठ था मांसल, किन्तु लोच थी अद्‌भुत! कान पर एक हाथ धरकर उनके गाने की मोहक भंगिमा, बहुत कुछ रसूलन बाई से मिलती थी। उन दिनों, सिद्धेश्वरी, कमला, झरिया, दुलारी प्रायः ही दरबार-उत्सवों में आतीं और राजकन्या के साथ-साथ हम उनसे मिलने जातीं तो उसे बुरा नहीं समझा जाता था। उठने-बैठने का ढंग, अदब-क़ायदे में निखार, यहाँ तक कि सुपारी काटने की कला सीखने भी हमें उनके पास भेजा जाता। सिद्धेश्वरी, युवराज की सगाई पर आईं, तो उन्होंने हमें सुपारी की दो ख़ास किस्में काटना सिखाया था, 'बाजरा' और 'मोतिया'। कभी-कभी आज, जब मेरे पाठक, मुझसे अपने पत्रों में पूछते हैं, एक सम्भ्रान्त गृह में जन्म लेने पर भी आपने अपने विभिन्न उपन्यासों में, रूपाजीवाओं का इतना सजीव वर्णन कैसे किया है, मैं उन्हें कैसे बताऊँ कि तब, वे हमारी निर्दोष दृष्टि में रूपाजीवा नहीं थीं, गृह में माँ से मिलने आई आत्मीय मौसी या बुआ-सी ही प्रिय परिचित थीं। उस बार नसीम, अपनी ख़ाला के साथ पहली बार ओरछा आई। उनकी शरबती आँखों में अँजे सुरमे की प्रगाढ़ रेखा, उनकी काली भँवर पुतलियों को, और

काला बनाकर प्रस्तुत करती थी। हँसने पर दोनों गालों में गड्ढों की गहराई, बड़ी देर तक बनी रहती। 'ख़ाला से कहेंगे, अगली बार भी हमें ले चलें, यहाँ बड़ा अच्छा लगता है हमें!' वह कहती और दिन-दिन भर, हमारे साथ खेलने पर भी उसका जी नहीं भरता। दो-तीन वर्षों तक, फिर वह नहीं आई, चौथे साल किले के एक उत्सव में वह फिर मिलीं, तो लिपट गईं। उन तीन वर्षों में उसके कंठ को ही उसकी ख़ाला ने नहीं घिसा-माँजा, दुबली-पतली देह को भी न जाने कौन-से यूनानी उबटनों से एकदम ही बदल दिया था। दशहरा दरबार में उसका गाया वह दादरा, जब आज किसी अन्य मधुर कंठ से सुनती हूँ तो मुझे उसके घुटने टेककर बैठी उसी भव्य मुद्रा का स्मरण हो आता है—

नथुनिया ने हाय राम बड़ा दुख दीना!
जब मैं हो गई पन्द्रह बरस की,
गोदी में मोहे धर लीना—
नथुनिया ने हाय राम....

तीन वर्षों में ही, यौवन ने उसके कैशोर्य को असमय ही पीछे धकेल उसे कितना सुन्दर बना दिया था! नाक की नथुनी की जगह थी, हीरे की बड़ी-सी लौंग, हाथ भर चूड़ियों की छनक-छनक के साथ उसने दुपट्टा सिर पर डाला और मीठे उलाहने से मुझे बींधकर कहा, "बिनू, तुम तो हमें भूल ही गईं, कभी ख़त भी नहीं डाला।"

"और तुमने?" मैंने कहा।

"हम कौन पढ़े-लिखे हैं जो ख़त लिखते, फिर उर्दू में ही लिख पाते, वह तुम पढ़ नहीं सकतीं—जरूर किसी से पढ़वातीं और हम नहीं चाहते थे कि हमारी-तुम्हारी बात, कोई निगोड़ी तीसरी ख़त पढ़नेवाली पढ़े...।"

"कौन-सी ऐसी बात थी नसीम? और तुमने नथनी क्यों उतार दी, कितनी सुन्दर लगती थी!"

आज, अपना मूर्ख प्रश्न, स्वयं ही चित्त खिन्न कर जाता है...

उसकी उदास झुकी आँखें डबडबा आई थीं। धीरे-धीरे किसी तीसरी ख़त पढ़नेवाली की अनुपस्थिति के आतंक से मुक्त हो, उस एकान्त में मुझे वह अपने प्रथम प्रेम का रहस्य बताती, बीरबहूटी-सी लाल पड़ गई थी। अपने प्रथम समृद्ध ग्राहक से ही प्रेम करने की मूर्खता कर बैठी थी अभागी, किन्तु अनजान प्रेमी पर कैसा अगाध विश्वास था उसका।

“कहते हैं, जल्दी ही तुम्हें दुल्हन का लाल जोड़ा पहनाकर मुरादाबाद ले चलेंगे—फलाँ नवाब साहब के नवासे हैं—रंग है एकदम फिरंगी का, अभी नवाबजादोंवाले अंग्रेज़ी मदरसे में पढ़ रहे हैं, इधर-उधर देख, उसने रेशमी कुर्ते के अन्तराल से, एक ख़ुशबूदार लिफ़ाफा निकाल, मुझे उस अद्भुत प्रणयी की तस्वीर भी दिखाई थी। सुकुमार चेहरे पर आभिजात्य की स्पष्ट छाप थी, हाथ में थी हॉकी, दुरंगी कमीज़ और हॉफ पैंट में एकदम ही स्कूली छोकरे से उस प्रणयी को देख, मैंने हँसकर कहा, “सम्हलकर रहना नसीम, लगता है कभी भी इसकी अम्मा, कान पकड़कर तमाचा धर देगी।”

सुनते ही उसने तुनककर फन उठा लिया था, “अजी अम्मा-वम्मा से डरनेवाले नहीं हैं—ऐसा रौब है कि लेटे-लेटे ही हमसे जूता खुलवाते हैं।”

बड़ी देर तक इधर-उधर की बातें होती रहीं, मेरे लिए वह लखनऊ से लाए छोटे-मोटे उपहारों की थैली थमाकर बोलीं, “इसमें हम तुम्हारे लिए लाख की चूड़ियाँ लाये हैं और सुरमादानी। एक सतरंगी दुपट्टा भी है। बिन्नू, हमने रँगरेज से कहा था, रंग में शमातुलम्बर मिलाकर रँगे, जब तब ख़ुशबू रहेगी, हमें याद रक्खोगी।”

लेकिन हाय रे नसीम! संसार में कौन-सी ऐसी ख़ुशबू है जो उड़ नहीं जाती? कहाँ गया वह दुपट्टा, कहाँ गई वह शमातुलम्बरी खुशबू और कहाँ गई नसीम! केवल, उसकी एक उदास चिट्ठी आज भी मेरे पास सुरक्षित है—उर्दू में लिखे उस पत्र को, मैंने कभी अपनी ड्योढ़ी के चौकीदार चाँद खाँ से पढ़वाया था।

“तुम्हें हमारे सिर की क़सम बिन्नू, फौरन से पेश्तर ख़त डालना—हम क्या लिखें बिन्नू, अब लिखने को कुछ रह नहीं गया। हम बिहार जा रहे हैं। हमारी आरावाली मँझली ख़ाला ने बुलवाया है, अब वहीं अपनी दुकान खोलेंगे...”

न बिहार की उस नई दुकान का अता-पता दिया था मूर्ख ने, न फिर कभी कोई ख़त ही लिखा। इतने वर्षों बाद, रात के साढ़े बारह बजे, जब श्मशान से बीहड़ किऊल जंक्शन के उजड़े दयार से वेटिंग रूम में बैठी थी, जीर्श-शीर्ण बुरके में वह आँधी-सी आई। दरी में लिपटा बिस्तर और एल्यूमीनियम का नाश्तादान कोने में पटक, आरामकुर्सी में लाश-सी बिछ गई। चेहरा ढँका था। पहचानती भी कैसे! वेटिंग रूम का चौकीदार, उसे देखते ही

बड़बड़ाने लगा, "जिसे देखो वही साले फर्स्ट किलास में घुस आते हैं–टिकट नम्बर माँगेंगे, तो अभी बगलें झाँकेंगे।" मैंने कहा, "फर्स्ट किलास का वेटिंग रूम हैगा ये बुआ, टिकट है?"

"अरे बेटा, जरा कमर सीधी कर लेने दे, अभी चली जाऊँगी। बना रह, बना रह बेटा, अल्लाह तुझे बहुत दे।" जीर्ण बुर्के के भीतर की करुण मिनमिनाहट और आशीर्वाद की स्निग्ध झड़ी से, शायद चौकीदार का कठोर हृदय भी पिघल गया, वह बाहर चला गया। एक-एक कर सब चले गए थे और कमरे में हम दोनों रह गईं, उसने नकाब उठाकर मेरी ही ओर देखा, "क्यों बहन, क्या बजा है?"

"साढ़े बारह," मैंने कहा और कुछ पहचाने-पहचाने से, उस चेहरे को देखते ही कंठ में कुछ अटक गया। कौन थी यह? कैसी पहचानी-सी सूरत थी–रामपुर में देखा था या और कहीं?

पान-जर्दे से विवर्ण होने पर भी दाँतों में वह कुछ-कुछ उठा कोने का दाँत, स्मृति को कुरेदने लगा।

"अल्लाह तौबा," वह हँसी, किसी भव्य उजड़ी इमारत के टूटे-फूटे झरोखों से, गालों पर धँस गए गढ़ों ने मेरी स्मृति को जैसे झकझोरकर कहा, "अब तो पहचान लो।"

"भागलपुरवाली गाड़ी कहीं छूट न गई हो, चलूँ, शायद पच्चीस डौन मिल जाए..."

रंग-उड़ी दरी का बिस्तर उठाकर, वह तीर-सी निकल गई।

"नसीम, नसीम!" मैंने भागकर उसे पुकारना चाहा, किन्तु कंठ में फिर स्मृति का गह्वर अटक गया। उसकी रंग उड़ी दरी की ही भाँति, उसके यौवन का रंग भी उड़, उसे बदरंग कर गया था। स्पष्ट था कि बत्तीस वर्ष पूर्व खोली गयी दुकान, अब उजड़ चुकी थी। नीले ख़ुशबूदार लिफ़ाफे में लिपटे, उसके किशोर प्रेमी का चेहरा भी क्या बदरंग हो गया होगा? उसे दुल्हन का लाल जोड़ा पहनाकर मुरादाबाद ले जाने के सुनहरे सपने दिखानेवाला वह फलाँ नवाब का नवासा, क्या अब भी उस जीर्ण बदरंग बुर्के के ताबूतों में बन्द होगा? कितनी स्मृतियाँ मुझे एकसाथ बींधने लगी थीं–लाल अतलस की शलवार, ऊदा अबरकी दुपट्टा और सुभग नासिका। नासिका पर घड़ी के पेंडुलम-सा हिलता लाल मोती का वह सलोना लोलक! जगमगाते झाड़फ़ानूसों के नीचे, दोनों घुटने टेक नमाज पढ़ने की-सी मुद्रा में बैठी उन्मुख विराजी

राजमहिषी की भव्यता को भी तुच्छ करती नसीम–"नथुनिया ने हाय राम बड़ा दुख दीना–जब मैं हो गई पन्द्रह बरस की...।" बँगला के न जाने किस कवि ने लिखा है–

मानुष मानुषेर शिकारी
नारी के कोरेछे वेश्या
पुरुषेर के कोरेछे भिखारी

मनुष्य ही मनुष्य का शिकारी है, वही नारी को वेश्या बनाता है और पुरुष को भिखारी।

एक थी रामरती

'एक था राजा' कहें या 'घनदर्प-कंदर्प-सौन्दर्य हृद्यनिरवद्य भूपो वभूव,' अर्थ एक ही होगा, किन्तु जो सहजता 'एक था राजा' में है, वह दूसरी छंदोमयी भाषा के शब्दजाल में नहीं, इसी से लिख रही हूँ, 'एक थी रामरती'—यद्यपि उस नाम के साथ भूतकाल का प्रयोग करने में मुझे वैसा ही कष्ट हो रहा है जैसा किसी प्रियजन को तिलांजलि देने में, उसके नाम के आगे 'प्रेत' शब्द जोड़ने में होता है।

गुरुवर द्विवेदीजी ने अपने एक भाषण में कभी बड़ी महत्त्वपूर्ण बात कही थी, "आपके इर्द-गिर्द जो जानता है, वह बहुत बड़ी चीज है। उसकी परम्परा महान् है, उसी को आप अपने अध्ययन का प्रधान विषय बनायें। आपको इसी जनता के निकट सम्पर्क में रहकर कार्य करना है। आस-पास की जनता की भाषा, विचार, जाति-पाँति, रहन-सहन, धर्म-कर्म सबकुछ के विषय में ज्ञान-संग्रह करने का प्रयत्न कीजिए, पुस्तकालय और संग्रहालय को अपने कार्य का अत्यन्त आवश्यक अंग तो समझिए ही, किन्तु जनता को प्रबुद्ध बनाना आपका काम है। उसे इस योग्य बनाएँ कि वह अपने अतीत को समझ सके, वर्तमान को देख सके और भविष्य को बना सके। अर्थात् जनता से ही सीखें, उसी को सिखाएँ।"

इसमें कोई सन्देह नहीं कि असंख्य वाचनालय हमें मानवता का वह पाठ पढ़ाने में सक्षम नहीं हो सकते, जो पाठ हमें हमारे पास की जनता अनायास ही पढ़ा जाती है। अपने दीर्घ जीवन के अनेकानेक रहस्यमय कोष्ठ-प्रकोष्ठों की परिक्रमाएँ मुझे कभी ऐसी ही अनूठी अभिज्ञताएँ थमा गई हैं। जीवन में अनेक उदार कृती गुरुजनों की शिक्षा प्राप्त करने का सौभाग्य प्राप्त हुआ, किन्तु कभी-कभी लगता है, जीवन के जो अनुभूत मृत्युंजयी टोटके अपढ़ या

सामान्य शिक्षित जनता ने थमाए, जीवन की दुरूह पगडंडियों को पराजित करने की क्षमता उन्हीं से प्राप्त की। आज, जब एक ऐसी ही अपढ़ सरल, विलक्षण सद्यःदिवंगता सेविका को, कृतज्ञ करपुट श्रद्धासुमन अर्पित करने तत्पर होते हैं तो एक पल को वह आनन्दी हँसमुख चेहरा, कंठ वाष्प स्तम्भित कर देता है। दुबली-पतली देह, वजन कुल 29 किलो, जिसे यत्न से सींचने पर भी कभी वजन तौलने की मशीन की सुई मैं रंचमात्र भी आगे नहीं खिसका पाई किन्तु प्राणशक्ति उतनी ही वजनदार। कभी-कभी आश्चर्य होता था कि उस मुट्ठीभर देह में इतनी शक्ति आती कहाँ से है! उसके प्रेममय सहज हृदय की सरलता देखकर सहसा विश्वास नहीं होता था कि इस कुटिल युग में भी किसी का हृदय इतना निष्कपट, ऐसा निष्कलुष और निःस्वार्थ हो सकता है।

समझ में नहीं आता कहाँ से आरम्भ करूँ, पर इतना अवश्य समझ रही हूँ कि एकदम सतर, सीधी सरल रेखा खींचना कितना कठिन होता है। न वह उच्च कुल में जनमी, न शिक्षा ही प्राप्त की, न आभिजात्य, न अहंकार, इस स्मृतिचित्र को आँकने में न कल्पना का ही सहारा ले सकती हूँ, न छंदोमयी भाषा का। बाईस वर्ष पूर्व मैंने उसकी नियुक्ति की तो मेरे पति ने घोर आपत्ति की थी, “इतने काम करनेवाले तो हैं! फिर यह कई घरों में काम करती है, दस घरों का जूठन यहाँ फैलाएगी, हमारे यहाँ अपनी कोई प्राइवेसी नहीं रह जाएगी।”

“वह ऐसी नहीं लगती,” मैंने दृढ़ स्वर में कहा। और उसी दिन से उसने हमारे गृह की सेविका का भार सँभाल लिया। वर्षों पश्चात्, जब मेरे पति मृत्युशय्या पर पड़े थे, तो उन्होंने कहा था, “तुमने इसे ठीक ही पहचाना था। यह हमेशा तुम्हारा सहारा बनेगी।” यद्यपि उस दिन पति का वह समर्थन मुझे मन-ही-मन विषण्ण कर गया था। उनके नैराश्यपूर्ण स्वर में अब मेरा सहारा न बने रहने का स्पष्ट संकेत था। उनकी मृत्यु के पश्चात् सचमुच ही उसने मेरी लड़खड़ाती गृहस्थी का संपूर्ण भार अपने दुर्बल कन्धों पर साध लिया। विछोह के प्रारम्भिक क्षणों में शायद विवेकशीलता एवं धैर्य के आयुध विधाता बड़ी हृदयहीनता से छीन लेता है। यह जानकर भी कि उस आघात को मुझे अकेले ही झेलना होगा, वह भी अडिग साहस से, मैं प्रतिपल हताश होकर धैर्यच्युत हुई जा रही थी। पति की ईमानदारी ने लक्ष्मी को बहुत पहले ही स्पष्ट कर दिया था, न कोई संचित धनराशि थी, न किसी जीवन बीमे के तिनके का सहारा। लिखने की चेष्टा करती तो लेखनी अड़ियल-अबाध्य अश्व

बनी हिनहिनाकर दोनों पैरों पर खड़ी हो जाती। 'नहिं विद्या नहिं बाहुबल नहिं खर्चन को दाम' वाली स्थिति मुझे किंकर्तव्यविमूढ़ बना रही थी। इसी से मैंने उससे कहा, "रामरती, अब तुम्हें नहीं रख पाऊँगी। तुम कोई और घर देख लो।" तब तक उसका पूरा परिवार मुझ पर ही निर्भर था। अचानक उसके पति की नौकरी चली गई थी। तीन-तीन बेटियाँ थीं, उसे तो अपना पेट पालना ही होगा। "ल्यो, अउर सुनो!" वह सींकिया देह को सतरकर खड़ी हो गई थी, "कहती हैं अउर घर देख लो! हम का तोहका अइसन घड़ी में छोड़ देई? हम का नमकहराम बिलार हैं दीदी, जो मालिक घरै दूध न मिली तो अंतै चली जाई?"

और वह नहीं गई, पर मेरे लाख कहने पर भी उसने तब तक वेतन नहीं लिया जब तब मुझे अपने पति का फंड, पेंशन-राशि नहीं मिली। मेरी मँझली पुत्री विदेश में थी, छोटी ससुराल में, छोटा पुत्र पढ़ रहा था। बड़ी पुत्री तीन महीने मेरे साथ रही, फिर उसे भी विदेश जाना पड़ा। जिस दिन वह गई, उसी रात को रामरती अपनी गुदड़ी-कंथरी सिर पर धरे, रात को सहसा मेरे कमरे में हँसती खड़ी हो गई, "महतारी, ल्यो, हम आइ गईन।" फिर मजाल थी जो अर्धरात्रि के किसी दुर्वह क्षण में उससे छिपाकर मैं एक सिसकी तो कंठ में घुटक लूँ! मेरा निःशब्द रुदन भी उसके चौकन्ने कानों तक पहुँच जाता। वह तत्काल उठकर कठोर प्रहरी-सी मेरे सिरहाने खड़ी हो जाती—"आँखिन का फोर डरियो का? देखो दीदी, तोहार रोये-धोये से अब साहेब लौटिहैं का?"

मुझे खिलाने-पिलाने में वह फिर स्नेहशील जननी बनी। मेरे एक-एक गस्से का हिसाब रखती—रोटी क्यों छोड़ दी?...दूध क्यों नहीं पिया?

उस आघात के पश्चात्, उसी ने मुझे काग़ज़-कलम थमा एक दिन जबरदस्ती लिखने बिठा दिया था, "थामो, लिख डारो तनी, जान्यो दीदी, जब हमार कड़ियल जवान मामा गवा रहा, हमार नानी रात-भर चकिया पीसत रही। हम उठिन की तनी नानी का हाथ बँटा दें, मार घुड़क दिहिन हमका, कहिन—'जा भाग जा, सो जा रतिया, हम का चकिया पीसत हैं? हम तो अपना दुख भुलाय रहिन!"

जीवन में पहली बार, अपने उस लेख को बिना दूसरी बार देखे मैंने ज्यों-का-त्यों 'नवनीत' में भेज दिया था—'बांधीश ने आर मायार डोरे', और जब सैकड़ों प्रशंसकों-पाठकों ने मुझे उस लेख के लिए बधाई के पत्र लिखे तो लगा,

कैसी सवा लाख की सीख दी थी उस अनपढ़ नारी ने! लेखनी की चकिया पीस न केवल मेरे दुख की गठरी हलकी हुई मुझ जैसे अनेक विधुर आहत हृदयों का भी दुख हलका हुआ था।

कभी-कभी उसकी दार्शनिकता देख अवाक् रह जाती। एक दिन मैंने कहा, "रामरती, इस जीवन में तो मैंने किसी का बुरा नहीं किया, फिर भगवान ने मुझे यह दंड क्यों दिया?"

वह एक क्षण को निर्वाक् मूर्तिवत् बैठी रही, फिर बोली, "हम का इसी जिनगी का किया भोगत हैं दीदी? अरे पिछले जनम का हिसाब भी तो चुकता किए का परीं! अब तुम जो दिन-रात तम्बाकू खात हो, तोहार बिटिया-बिटवा कहत हैं—रामरती, दीदी का तम्बाकू छुड़ाय दे, डिबिया छिपा दिया कर, कैंसर होत है—हम का छिपा सकिन हैं आज तलक? आपहु हमें दिन-रात डाँटत हैं कि बीड़ी मत पी, कलेजा मत फूँक, सो हम का छोड़ सकिन हैं? अरे, ई सब उई जनम केर अमल हैं, सब हमार करनी का अमल। रोग, जर-जमीन, केस-मुकद्दमा, फाँसी, जेल, अमल सब सूद हैं सूद—उह जनम में लिए रहे, इहु जनम में चुकाय रहिन हैं। बड़ा जालिम सूदखोर महाजन है भगवान, जान्यो दीदी! जब तक एक-एक धेला न वसूली, छोड़ि है नाँही।"

मैं आश्चर्यचकित हो उसकी बातें सुन-सोच रही थी—न इसने कभी कोई धर्मग्रन्थ पढ़े, न मनीषियों की पंक्तियाँ ही सुनीं, किन्तु फिर भी उनके मनन-चिंतन से उसकी सरल विचारधारा का यह कैसा अद्‌भुत साम्य था!

रोगं शोकं परितापं
बंधनं व्यसनानि च
आत्मापराध वृक्षस्य
फलानेतानि देहिनाम्।

रोग, शोक, परिताप, बन्धन, व्यसन सब हमारे ही अपराध-वृक्ष के फल हैं—चाहे इस जन्म के हों या उस जन्म के।

घाघ, भड्डरी सदा उसके जिह्वाग्र पर रहते। मैं कहीं जाने को होती और घटाटोप मेघांधकार देख छतरी लेने लगती तो वह कहती—''का करिहो छतरी, जाओ, बेहिचक जाओ, बरसिहै नाँही, कारी बदरी जिया डरायै...भूरी बदरी जल बरसायै।"

उसके मौसम विभाग की सूचना कभी गलत नहीं निकलती। मैं नित्य करेला खाती थी, पर मजाल है कुँआर में यह धृष्ट फरमाइश कर सकूँ—"नाहीं,

हम न देव। जानती हो–'कुँआर करेला, कातिक दही... मरिहै ना तो परिहैं सही।"

कुँआर में करेला खा लिया तो मरूँ भले ही नहीं, बीमार अवश्य पड़ जाऊँगी!

आज मुझे असंख्य सीखों के कवच से सेंतनेवाला कोई नहीं है। मैं चिलमिलाती धूप में लौटती तो वह मेरे प्रत्यावर्तन का समय सूँघ, अपने दक्ष हाथों से मँजा, दर्पण-सा शीतल जल पूरित काँसे का लोटा लिए खड़ी रहती– "ल्योउ, पहिलै ठंडाय लो।" प्रायः ही गरमी में लखनऊ की बिजली किसी दगाबाज मित्र-सी चली जाती। किन्तु सिर के ऊपर फरफराता बिजली का पंखा अचल होने पर आँखें खुलतीं तो देखती, विजना डुलाती सींक-सी दुबली कलाइयाँ निरन्तर सचल हैं। मेरे लाख मना करने पर भी वह मेरे सिरहाने बैठी तब तक पंखा झलती रहती जब तक बिजली न आ जाए!

जब मैं दिल्ली से पद्मश्री लेकर लौटी तो वह द्वार पर बेले-गुलाब का हार लिए स्वागत के लिए खड़ी थी। अपनी संचित सीमित धनराशि से उसने हार ही नहीं मँगवाया था, लड्डू-भरी प्लेट से एक लड्डू मेरे मुँह में धरा तो मेरी आँखें भर आई थीं। जहाँ मेरी साहित्यिक बिरादरी से इक्के-दुक्के ही ने मुझे बधाई दी थी, वहीं उस अनपढ़, सरला सेविका का उल्लास सँभाले नहीं सँभल रहा था। फिर कुछ ही दिनों बाद अचानक मेरे दाहिने हाथ में असह्य दर्द उपजा। कलम भी नहीं पकड़ पा रही थी। इधर 'धर्मयुग' से दो तार आ चुके थे कि मैं दीवाली अंक के लिए अविलम्ब ताजा कहानी भेजूँ। "रामरती, लगता है अब कभी नहीं लिख पाऊँगी।" मैंने कहा तो वह तुनककर बोली, "न लिखें तोहार दुश्मन! अरे, हम जानित हैं का हुआ, नजरिया गया है हाथ, ई जौन पदमसिरी पाये हो, सब जल-भुन गए हैं, अतवार को हम नजर उतारीं।"

उस इतवार को जब मेरे कमरे में कुछ शालीन अतिथि बैठे थे, "ए दीदी, सुनो तनी," कह उसने मुझे इशारे से बुलाया। देखती क्या हूँ कि एक हाथ में लोहे के कलछुल में दहकते अंगारे लिए, दूसरी मुट्ठी में मिर्च, चून, भूसी बाँधे रामरती खड़ी है, "बोल्यो नाँही, हम नजर उतारब।" उसने सात बार मेरे घायल हाथ की परिक्रमा कर मुट्ठी में बँधी मिर्चें अंगारों में झोंक दीं। भयानक खखार उठी कि मेरे अतिथि खाँसते-खाँसते बेदम हो गए, "लगता है, आग में मिर्च चली गई!" एक ने कहा।

मैं किस मुँह से कहती कि मेरे नजरिया गए हाथ की नजर का ही उन्हें

यह मूल्य चुकाना पड़ रहा है। आज जब एक बार फिर वही दाहिना हाथ अस्थिभंग के कारण अचल पड़ा है तो उसकी नजर उतारनेवाली बहुत दूर चली गई है।

उसे इधर-उधर घूमने का बेहद शौक था। दस वर्ष की थी तो विवाह हो गया। सौतेली सास थी। पति को शराब ने बरबाद कर दिया था। उधर कच्ची वयस में ही धारावाहिक प्रसवों ने उसे प्रौढ़ बना दिया था। कई घरों में काम किया, तसलों में गारा-चूना ढोया, छतें पीटीं, घास बेची, किन्तु भरी जवानी में भी कभी किसी प्रलोभन की अबरकी चट्टान पर पैर नहीं फिसलने दिया। दिन-रात ढोल-दमामे-सी पीटी जाती, ननिहाल में सबकुछ था, स्वयं उसी के शब्दों में, "जब नानी सुनिन कि 'फलाने' (वह कभी अपने पति का नाम नहीं लेती थी) हमार गत बनाइ डारिन तो या नोटन की मोटी गड्डी थमाकर कहिन, 'रतिया, छोड़ दे इस मनई को, ननिहाल चली आ, हम तोहार अंतै घर बसाय देव!' हम कहिन—'खबरदार, जो कबहु इहु बात दोहरायो। हमार मनसेधू हैं, हमार अँगूठा पकड़िन हैं, हम का अइसन छोड़ देईं? छोड़ें तो ऊ छोड़ें, हम काहे छोड़ीं?"

इस युग में कितने अँगूठे ऐसे स्वामिभक्त रह गए हैं!

मैं देखती, उसका पति कभी-कभी पूरी तनख्वाह ही मधुशाला में लुटा, लड़खड़ाते कदमों से घर लौटता। कभी खबर आती, वह बेहोश किसी नाले में पड़ा है। वह फौरन भागती, उसे रिक्शा में लादकर घर लाती, सिर पर ठंडा पानी डालती, वमन पोंछती। और थाली परसकर चुपचाप उसके सामने रख देती। वह मदालस जिह्वा के प्रहार से धरती-सी सहिष्णु पत्नी को ही धराशायी नहीं करता, एक लात मार थाली भी दूर पटक देता, और वह रोती-रोती मेरे पास लौट आती, "फलाने आज फिर नशे में 'डौन' हैं दीदी, पूरी तनख्वाह कोई निकाल लिहिस है जेब से—अइसन-अइसन महतारी-बहिनियाँ न्यौत रहें कि बस!"

"और तू रोज उसका चरणामृत पीती है, जा, फिर पी आ।" मैं उसे कई बार सोये पति के पैर धोकर आचमन करते देख चुकी थी। किन्तु उस अटूट पतिभक्ति का उसे पुरस्कार भी मिला। शायद उसी की असंख्य मनौतियों से पति की शराब की लत हमेशा के लिए छूट गई। जिस पत्नी के यौवन अंकुर को उसने अपने रूखे आतप से असमय ही सुखा दिया था, उसे वह अब उसकी

प्रौढ़ावस्था में यत्न से सींचने लगा था। वह भी अपना कर्जा ब्याज सहित वसूलने लगी थी। मेरा काम निबटाकर वह घर जाती तो बड़े दबंग स्वर में बीसियों आदेश देने लगती, "फलाने, हमार बिस्तर लगाय देव, अउर तनी ठंडा पानी पिलाओ तो हम लेटीं!" फिर एक दिन अचानक वह सब काम स्वयं करने लगी। मैंने पूछा, "क्यों री, अब तू हुकुम नहीं चलाती अपने फलाने पर?"

"का बताई दीदी, एक दिन अम्माजी (मेरी माँ) बरामदे में खड़ी देख रही थीं। फलाने हमार पेटीकोट धोकर फैलाय रहे थे, बस्स, अम्माजी उँही से गरजीं, 'काय री रामरती? खसम निठल्ला कूटे धान...बीबी नरंगी चाबै पान! शरम नहीं आती तुझे?' उई दिन से हम कान पकड़िन दीदी—इनसे काम न कराब!" फिर भी वह रौब जमा ही देती। कभी-कभी वह भुनभुनाकर कहता, "हम जानत हैं रतिया, तू खूँटे के बल पर नाचत है!" स्पष्ट चोट मेरे ही खूँटे पर है, मैं यह समझ जाती।

"अऊर का, तू हमका अब छूकर तो देख, दीदी चट्ट से अखबार में छपवा देहीं।" पर पति-पत्नी दोनों ही मुझे भवानी-सा पूजते थे। दिन-रात रामरती मेरी छाया बनी रहती, फिर भी उसके पति ने कभी मुझे उलाहना नहीं दिया। मैंने बाली की हृदयहीनता से उसकी पत्नी को छीन लिया था, फिर भी न कोई शिकवा, न गिला। मैं ही उससे कहती, "तू दिन-रात यहीं रहती है, बेचारा थका-माँदा दफ़्तर से आया है। जा जरा उसके पास बैठकर हँस-बोल आ!"

"अब का हँसी दीदी?" वह एक दीर्घ श्वास लेकर कहती, "जब हँसने के दिन थे तब तो हँसिन नाँही। हम जाब तो मार भुन्न-भुन्न करें लगिहैं।" सचमुच ही दोनों बिना जूझे एक पल भी नहीं रह सकते थे—कभी वह ताना मारता, कभी यह। वह सेर था तो रामरती सवा सेर। पर एक-दूसरे के बिना रह भी नहीं सकते थे।

मैंने एक दिन कहा, "मुझे और नहीं तुझे ठौर नहीं वाला हिसाब है तुम्हारा। पर तू भी तो कम नहीं है। छौंक तो तू भी खूब लगाती है। चुप क्यों नहीं रहती?"

"बिना छौंक के का दाल नीक लगत है दीदी? मनई से तनी खट्ट-पट्ट रहे तब ही जिनगी में खन्नक रहता है।"

कितना सत्य कथन था उसका! उसकी दृष्टि में 'तनी खट्ट-पट्ट' वैवाहिक जीवन के अजीर्ण अपच का रामबाण पाचक था। "ई का कि दिन-रात मनसेधू

के गले में गलबँहिया डारै पड़े रहो। हम इत्ती मार खाइन हैं, तब ही तो अब हमका पान के पत्ते-सा फेरत हैं फलाने।"

अपनी दुबली कलाई में उसने वर्षों पूर्व एक दर्शनीय गोदना गुदाया था—गमले में गुलाब का पौधा, राधाकृष्ण की युगल जोड़ी और ऊपर लिखा पति का नाम फिक्कूलाल! समय के साथ-साथ बैंजनी स्याही प्रगाढ़ होती जा रही थी और वैसे ही प्रगाढ़ होते जा रहे दोनों के प्रेम को देख मैं कभी-कभी शंकित हो उठती। क्या दोनों ही मन-ही-मन जान गए हैं कि अब उस सुदीर्घ साहचर्य का अन्त समीप है?

एक दिन उसने मुझसे पूछा, "ऐ दीदी, हवाई जहाज में बैठे पै कइसन लगत है?"

"तू कभी नागर दोले में बैठी है? जब जहाज उतरता है तो ठीक वैसा ही लगता है।"

"अरे बईठन काहे नाँही, उँही तो हम पहली बार फलाने को देखे रहिन।" और फिर उसने मुझे अपनी कोर्टशिप की रोचक कहानी सुनाई थी। अपनी बात प्रभावशाली ढंग से कहने की जो विलक्षण क्षमता विधाता ने उसे दी थी, वह इतने वर्षों तक कलम घिसने पर भी मैं शायद आज तक प्राप्त नहीं कर सकी हूँ।

"गुढ़ियन का मेला लगा रहा। हम रहे होंगे यही कोई दस बरस केर। मेला गए तो जिदियाय गए। अम्मा, चरखी पर बैठब!"

फिर उसी के शब्दों में उसकी सज्जा का वर्णन सुनिए, "हाथ-भर चूड़ियाँ पहनाइन थीं अम्मा, फूलदार कन्नी की नई साड़ी पहने रहे, माथे पर टिकुली, आँखिन माँ काजर, मिस्सी, पायल, लच्छा। खूब पान गुलगुलाये रहे, हमका का पता कि ऊपर के कोठे में फलाने बइठे हैं—हम का कौनौ देखै रहे इनका?

"झूला चला और बस्स, फलाने टपकाई दिहिन खुसबूदार रूमाल! हमार तन-बदन में आग लग गई। हम खूब गरियाव लाग, 'ऐ दाढ़ीजार, मुसकिया के रूमाल काहे डालिस हमारी गोद में? तेरी खटिया उठै! न जाने कहाँ से आय गवा गुंडवा!' हमार अम्मा हमें आँखी दिखाइन, 'अरी चुप कर, इन्हीं से तो तोहार बात लगी है,' फिर तीसरे दिन हम अकेली कुएँ से पानी खींचत रहीं तो देखिन फिर ही रेशमी रूमाल जेब से लटकाय खड़े हैं। कहिन—ए लड़की पानी पिला! हम कहिन—तोहार बाप केर नौकर हैं का? बोले—अउर

का! एक-न-एक दिन हमार नौकरी करबई परी। अउर फिर अइसन नौकरी करवाइन बाप-बिटवा कि का कही!"

फ़िल्म देखने का उसे बेहद शौक था। उसके प्रिय अभिनेता थे धर्मेन्द्र और अमिताभ बच्चन, जिनके लिए उसके अपने नाम थे—धरमेंदुआ अउर अमितभुवा। मैं कुछ वर्ष पूर्व बम्बई आने लगी तो वह बीमार अमिताभ की रोगमुक्ति के लिए इधर-उधर मन्नतें माँग डोरे बाँधती फिर रही थी। कभी खम्मन पीर, कभी सैयद बाबा की मजार! मुझसे बड़ी उत्कंठा से उसने पूछा, "काहे दीदी, अमितभुवा से मिलिहो?"

"क्यों?" मैंने पूछा।

"मेरी दीदी, कहियो बचुआ, रामरती बहुत याद करत रही।"

मुझे उसके सरल सन्देश पर तब हँसी आ गई थी। जिसे उसने कभी सशरीर देखा भी नहीं था, उसके लिए वह महत्त्वपूर्ण सन्देश! पर मैंने भी उसका सन्देश अमिताभ तक पहुँचा ही दिया था। दूरदर्शन चालू होता तो वह कृषि दर्शन से लेकर अन्त तक प्रत्येक कार्यक्रम देखती। रामायण में तो उसके प्राण अटके रहते। आठ ही बजे से हाथ में फूल लेकर बैठ जाती और आरम्भ होते ही ज़मीन पर दंडवत् की मुद्रा में लेट फूल चढ़ाकर जोर से कहती, "सियावर रामचन्द की जै!" राम की मुस्कान पर वह मुग्ध थी। कहती, "जान्यो दीदी, तीन ही जनी गजब की मुसकी छाँटत है, रामायण केर राम, राजीव भैया और हमार राधिका बिटिया (मेरी दौहित्री)!

राजीव गांधी लखनऊ आते तो हो न हो, उन्हें हमारे ही गृह के पास की सड़क से गुजरना पड़ता, हवाई अड्डे का वही एकमात्र मार्ग था। रामरती उस दिन मुझे सुबह ही नोटिस दे जाती, "आज हम राजीव भैया को देखे जाब, काम ना होई हमसे।" और फिर, "दीदी, कउन-सी साड़ी पहनें?" वह ऐसे पूछती जैसे राजीव भैया उसी से मिलने आ रहे हों। रवीन्द्रनाथ की 'राजार दुलाल' कविता क्षण-भर को जैसे साकार हो उठती :

ओगो माँ
राजार दुलाल जाव आजी
मोर घरेर समुख पथे—
आजिए प्रभाते गृहकाज लये
रहिबो बलो कीमते?
बले दे आमाय की करीबो साज

की छांदे कबरी बेंधेलब आज
परीबो अंगे कैमन भंगे
कोन बरने बास?

(अरी माँ, राजा का दुलाल आज मेरे घर के सामनेवाले पथ से गुजरेगा, आज सुबह, तुम्हीं बताओ मैं घर का काम-काज कैसे कर सकती हूँ? बता दे न माँ, कैसा श्रृंगार करूँ, कैसे चोटी गूँथूँ, कौन-सी, किस रंग की साड़ी पहनूँ?)

मा गो की होलो तोमार?
अवाक नयने मुखपाने कैन चास
आमी दांड़ाब जेथाय
वातायन कोने
से चाबेना सेथा
ताहा जानी मने
फेलिबे निमेष देखा हबे शेष
जाबे से सूदूर पूरे
शुधू सगरे बांशी कोन माठ हते
बाजिबे—व्याकुल सुरे
तबू राजार दुलाल जाबे आज
मोर घरेर समुख पथे
शुधु शे निमेष लागी
ना करिया बेश रहिबो
बलो कीमते!

(अरी माँ, क्या हो गया तुझे? ऐसे क्यों देख रही है? मैं उस कोने में खड़ी रहूँगी, जहाँ वह देखेगा भी नहीं, वह उधर ताकेगा भी नहीं, यह मैं जानती हूँ। एक पल में वह झाँकी समाप्त हो जाएगी। वह सुदूर नगर में चला जाएगा। केवल दूर कहीं व्याकुल स्वर में वंशी बजती रहेगी। तब भी राजा का दुलारा कुँअर आज जब मेरे घर के सामने के रास्ते से जाएगा तो मैं उसी क्षण के लिए बिना श्रृंगार किए कैसे रह सकती हूँ, तुम्हीं बताओ!)

हाथ में गुलाब का फूल लिए बेचारी रामरती घंटों राजा के दुलाल की प्रतीक्षा में खड़ी रहती और दर्शन कर तृप्त होकर लौटती।

मेरे साथ वह बहुत घूमी थी। बम्बई, बनारस, कानपुर, रीवाँ। जो विश्वविद्यालय

मुझे बुलाता, वह पहले ही अपनी गठरी बाँध तैयार हो जाती, मैं यदि ए॰सी॰ में जाती तो वह मेरे डिब्बे में बैठती, "देखो रामरती, तुम वहाँ बीड़ी नहीं पियोगी—समझी?" मैं कहती। यही उसके लिए बहुत बड़ी सजा थी। फिर ट्रेन चलते ही पुराना अमल उसे बेचैन कर देता।

वह मेरे कानों में फुसफुसाकर कहती, "ए महतारी, मार जमुहाय लगे हैं, गुसलखाने में सुट्टा खींच आई?" "जा मर!" मैं झुँझलाकर कहती तो वह तीर-सी भागती।

न जाने कितनी बार मैंने उसकी बीड़ी के बंडल छिपाए हैं। न जाने कितनी बार डाँटा-फटकारा है। पर उसने कभी पलटकर जवाब नहीं दिया। उसके तीव्र विरोध के बावजूद मैंने उसकी दो पुत्रियों को पढ़ने भेज दिया था। उसकी बिरादरी में उसकी पुत्री ही सम्भवतः प्रथम ग्रेजुएट थी। इसका उसे गर्व था, किन्तु चिन्ता भी थी, "अब इत्ता ही पढ़ा-लिखा लड़का भी तो चाही। कहाँ पाई आपन बिरादरी में!"

मैंने ही उसकी उस पुत्री को 7 वर्ष की वयस से पाला था। उसने कहा था, "अब तुम्हीं इसकी अम्मा हो, कन्यादान करे का परी।"

ईश्वर ने उस कर्तव्य को निभाने की शक्ति दी। अपने जीवन का वह चौथा कन्यादान भी सम्पन्न किया। विवाह मेरे ही घर से हुआ। ऐसी पुष्ट बरात स्वयं मेरी तीन पुत्रियों के विवाह में भी नहीं जुटी। हलवाई भी बैठे, शामियाना भी लगा, बिजली के लट्टू भी जगमगाए। यहाँ तक कि बरात में सजे-सँवरे मत्त गयंद भी पधारे, जिनकी आरती उतारने में बेचारी रामरती थरथर काँपने लगी। उसने शायद कभी सपने में भी नहीं सोचा था कि कभी उसके द्वार पर हाथी खड़ा होगा! पुत्री विदा हुई तो वह मेरे पैरों पर गिर पड़ी। कृतज्ञता के वे आँसू एकदम अंतस्तल से निकले विशुद्ध आँसू थे। "आज हम गंगा नहाय लिहिन, महतारी!"

पर पुत्री के विवाह के बाद उसका स्वास्थ्य गिरता ही जा रहा था। मैंने कहा, "रामरती, यह क्या हो गया है तुझे? रोज बीमार—कभी तू और कभी मैं!"

उसका म्लान चेहरा एक बार फिर पुरानी चुहल की रेखाओं से उद्‌भासित हो उठा, "जान्यो दीदी, अब हम दूनों केर ओवर-हॉलिंग कराए का है, टूब-टायर दूनों बदलवैया हैं।"

पर अचानक, वह अकेली ही मुझसे मिले बिना ट्यूब-टायर बदलवाने चली

जाएगी, यह मैंने नहीं सोचा था। यद्यपि मुझे उसके चिर प्रस्थान की शंका होने लगी थी। लम्बे प्रवास के बाद लौटी तो वह खाट पकड़ चुकी थी—कंकाल-सी देह, जैसे कोई दस-बारह साल की बच्ची पड़ी हो। फिर भी चेहरे पर वही स्निग्ध हँसी, "दीदी आई गईन। अब हमका कछु ना होई।"

उसका यह विचित्र विश्वास था कि मेरे रहने पर उसे कुछ नहीं हो सकता। जाएगी तो मेरे न रहने पर। दो बार मैं उसे सचमुच ही मौत के मुँह से खींच लाई थी। एक बार जब वह रक्त-वमन कर अचेत हो गई तो मैं तत्काल एम्बुलेंस में अस्पताल ले गई थी। दूसरी बार जब सम्भवतः उसे पहला दिल का दौरा पड़ा था। "ऐ दीदी, बचाय लो हमें, बड़ा जीव घबड़ा रहा है।" उस दिन भी उसे ईश्वर ने छोड़ ही दिया था। सन्ध्या होते ही वह फिर चैतन्य हो गई, "हम जानत हैं महतारी, जमऊ ससुर आपसे डरात हैं..."

उसकी दृढ़ धारणा थी कि मृत्यु की उत्क्रांति या शक्ति मेरी मुट्ठी में बन्द रहती है—जब चाहूँ यमराज को समझा-बुझाकर वापस भेज सकती हूँ। इसी से जब इस बार लखनऊ छोड़ा तो वह रोने लगी, "ऐ मोर महतारी, हमका छोड़ के न जाओ।"

मैं उसकी निरन्तर गिरती अवस्था को देखकर भी रुक नहीं सकती थी। जिन-जिन लक्षणों के विषय में पढ़ा था, वे स्पष्ट उभर रहे थे। बाईं आँख से निरन्तर पानी गिर रहा था, कानों की लोरियाँ पलट गई थीं, नाक टेढ़ी लगने लगी थी, सिर के बाल साही के काँटे-से खड़े हो गए थे। मैं जान गई कि लौटकर इस स्वामिभक्त सेविका को कभी नहीं देख पाऊँगी। मैं नित्य उसके पास बैठती, उसके सींक-से पैर सहलाती तो वह अर्धचैतन्यावस्था में भी चट से ऊपर खींच लेती। "अब नरक में काहे ढकेलत हो दीदी, हमार गोड़ जिन छुयो..."

मैं जिस दिन उससे अन्तिम विदा लेकर लौटी तो उसने बड़े कष्ट से अपने दोनों हाथ माथे से लगा लिए। एक बार मुड़ी तो देखा, वह करुण, विवश, असहाय अश्रुपूरित दृष्टि से मुझे एकटक देख रही है।

जिसने न जाने कितनों की छोटी-मोटी व्याधियाँ दूर कीं, वह पल-पल मृत्यु से पराजित हो रही थी। उसके जड़ी-बूटियों के ज्ञान की ख्याति दूर-दूर तक थी। आए दिन भीड़ जुटी रहती—कभी बच्चे के दाँत बिठाने, कभी उखड़ी हँसुली, कभी खिसकी नाभि। और कमर की हूक दूर करने में तो उसे विधाता का वरदान प्राप्त था। "हम उलटे जनमे हैं।" वह बड़े गर्व से कहती, "एक

लात धर मरीज का दौड़ाय देईं तो कइसनऊ हूक हो, साफ।" वह उपचार वह अपनी भाषा में केवल 'अवतार-मंगल' को ही करती। वह दृश्य भी देखने लायक होता जब कमर थामे, काँखते-कराहते मरीज आते। वह ठाठ से कमर पर लात जमाकर कहती, "जाओ तेजी से भागो!" रोता रोगी हँसता हुआ ही जाता। एक दिन इतवार को बड़ी देर से आई। मरीजों की भीड़ उस दिन कुछ अधिक थी। मैंने फटकारा, "यह क्या ढोंग है, या तो डॉक्टरी ही कर ले या मेरी नौकरी!"

"का करी दीदी, आज कमर थामे एक अकड़बाज थानेदरुआ आबा रहा। पूछत है, 'सुना तुम कमर की हूक ठीक करती हो। हमारी हूक ठीक कर पाओगी?' हम कहिन, 'ल्यो, बड़े-बड़े डूबी गए, गदहा पूछै कित्ता पानी! कइसन-कइसन ब्रिगेडियरन की, पुलिस कप्तानन की हूक ठीक किए हैं।' हम कहिन, चलो खड़े हो जाओ और अइसन लात धरिन महतारी, कि ओकर सब थानेदारी भुलाये दिहिन!"

अब इस सरस कैफियत के बाद किस मुँह से डाँट सकती थी उसे? किन्तु जब एक बार मेरी कमर में हूक पड़ी तो लाख चिरौरी करने पर भी उसने मेरी कमर पर प्रहार नहीं किया, कान पकड़कर जीभ काटकर बोली, "राम-राम! हमका मत कहो दीदी। हम मर जाई पर ई काम नाँहि कर सकत!"

खूनी पेचिश, कान-दाढ़ का दर्द, सब टोटके उसके आँचल की गाँठ में बँधे रहते। मेरी सन्तान उसे अपनी सन्तान से प्रिय थी। मेरी बेटियों को बड़ी होते देखा था। उनके विवाह देखे, फिर उनके बच्चे देखे। बन-ठन छोचक की परात सिर पर धरे उनकी ससुराल गई। नेग-निछावर लिया। मेरी सबसे छोटी लड़की के दो जुड़वाँ बेटों में तो उसके प्राण बसे थे। फैजाबाद जाकर उनके साथ महीना-भर रह आई थी। "अरे हम दूनो को बेबी गाड़ी में घुमाबे ले जायें तो भीड़ लग जाये, लोग पूछें, 'अरी केकर बिटवा हैं री?' हम कहती, 'राजा रामचन्द केर जुड़िया हैं लव-कुस'!"

अंग्रेजी शब्दों का उसका अपना मौलिक कोश था। वाइस चांसलर को 'वाइस टांटलर', 'ब्लिट्ज' को 'बिलडप्रेशर', फैंटा को 'एलिफैंटा' और गोर्बाचोव को 'करवाचौथ'! एक बार टेलीफोन पर कोई सिरफिरा मुझे बेहद परेशान करने लगा। वह भी रात-आधी रात को। कभी रामरती की लड़कियों के नाम लेता, कभी मुझसे कहता, "लिखना बन्द करो, हम उग्रवादी हैं, तुम्हें खत्म कर देंगे।"

एक दिन रामरती बोली, "महतारी, अब फून आये तो तुम मत उठाना। हम उग्रवादी की खटिया खड़ी करब।"

आधी रात को फोन बजा, उसी ने उठाया :

"हैलू, कौन है रे?"

उधर उद्धत स्वर ने पूछा, "शिवानीजी हैं?"

"हाँ हैं।"

"क्या कर रही हैं?"

"तोहार अरथी सजाय रही हैं।"

उसने फिर कुछ कहा तो वह जोर से गरजी, "यू ब्लाडी बास्टर्ड!" और फोन रख मेरी ओर बड़े गर्व से मुस्कुराकर बोली, "अपने ससुर से सीखी रहिन ये गाली। अंग्रेजन के खानसामा रहे हमार ससुर। अंग्रेजी समझत होई तो अब चुप्पै रहब सरऊ!" उसके ससुर से सीखी वह गाली बड़ी अचूक निकली। फिर उस सिरफिरे ने कभी परेशान नहीं किया।

उसकी मासूम सरलता की एक मार्मिक घटना मैं कभी नहीं भूलती। मैं अपने पति की क्रिया कर हरिद्वार से लौटी तो अपना ही घर मुझे बियाबान लग रहा था। नींद नहीं आ रही थी। मैं बरामदे में कुर्सी डालकर बैठी थी। सहसा पालतू बिल्ली-सी वह मेरे घुटनों से कपोल सटाकर बैठ गई, "जान्यो दीदी, आप नहीं रहीं तो साहेब रोज आवत रहें..."

मैं चौंकी, "क्या बक रही है, रामरती?"

"यकीन मानो दीदी, रोज संझा को आएँ और आपके कमरे के दरवज्जे पर उचककर बैठ जाएँ।"

फिर बताने लगी कि नित्य सन्ध्या को एक चिड्डा लगातार दस दिनों तक चुपचाप दरवाजे पर बैठ जाता और टुकुर-टुकुर देखता रहता। न संग में गौरैया न कोई चिड्डा। "रात होती तो हम दिया जलाकर देहरी पर रख आती, फिर हाथ जोड़कर कहती, 'साहेब, अब बड़ी अबेर हुई गई, अब लौटा जाई।' बस, फर्र से चिड्डा उड़ जाता।"

मैं उस दृश्य की कल्पना कर सकती थी। द्वार पर बैठा चिड्डा और नन्हा-सा घूँघट निकाले, दोनों हाथ जोड़े खड़ी रामरती—साहेब, अब बड़ी अबेर हुई गई है, लौटा जाई।

न मैं उस दिन हँस पाई थी, न फिर कभी। पूछा उससे एक दिन अवश्य था, "क्यों री, फिर तेरे साहेब नहीं आए?"

"अब काहे आएँ महतारी, पीपल पानी पाए गए हैं।"

पुत्री के विवाह के पश्चात् उसके सामने कर्तव्य निर्वाह के वे कठिन क्षण एक-एक कर आने लगे जो हर माँ के जीवन में आते हैं। आज खिचड़ी भेजे का है, करवा भेजै परी, दामाद का जोड़ा, आज गुढ़ियाँ है। वह नित्य नवीन फरमाइश लेकर मुझे घेर लेती। मैं कभी-कभी बुरी तरह झुँझला उठती—"खा लिया है तूने, मुझे? मेरे पास क्या रुपयों की खान धरी है! और कहीं क्यों नहीं जाती?"

वह निःशब्द सिर झुकाए खड़ी रहती फिर विवश स्वर में कहती, "अउर कहाँ जाएँ महतारी?" आज गुरुदेव की वे पंक्तियाँ मुझे पश्चात्ताप से विगलित कर देती हैं :

कैनो रे तोर दू हाथ पाता
दान तो चाई ना, चाई जे दाता।

(अरे मेरे मन, तूने माँगने दो हाथ क्यों फैलाए हैं, मुझे दान नहीं चाहिए दाता चाहिए)

शायद मुझमें वह दाता ही पाना चाहती थी, उसने कभी मुझसे दो वचन लिए थे—एक उसकी पुत्री का कन्यादान करूँ, दूसरा हम जब घाट जाएँ दीदी, तो आप ही के पहुँचायें परी। "फलाने के पास तो वा दिन भी पैसा रहे ना रहे! अउर बिटिया-दामाद के करज का कफ़न हम ना ओढ़ब।"

वह मेरी सच्ची सेविका थी। इसी से शायद मैं अपने दोनों वचन निभा पाई। उसकी देह शायद ठंडी भी नहीं पड़ी होगी कि मुझे बहन का फोन मिल गया। तत्काल मैं उसके महाप्रस्थान के आरक्षण का प्रबन्ध कर पाई थी। इस ज्येष्ठ शुक्ला पंचमी को पति का श्राद्ध हुआ तो उसका अभाव खटका। तड़के ही नहा-धोकर, मेरे गृह की देहरी गोबर से लीप, वह गोग्रास खिलाने आ खड़ी होती। एक बार मेरा पुत्र अपने पिता का श्राद्ध कर रहा था तो मैंने देखा, आँखें पोंछती रामरती उसे एकटक देख रही है। बाद में मैंने पूछा, "रो क्यों रही थी री? क्या फिर साहेब को देखा?"

"नाँही दीदी, भैया कइसन पिरेम से नंगे बदन सराध करत रहें। हमार बिटवा जिया होता तो इत्ता ही बड़ा होता, अब हम मरि जाईं तो कौन देई हमें पानी?"

"क्यों, तेरी बेटियाँ हैं, बेटियों के बेटे हैं..."

"दीदी की बातें...आपन बिटवा आपन होत। बिटियन केर बिटवा का हमार होई? सुन्यो नहीं—धी का पूत, गधी का मूत!"

मुझे हँसी आ गई थी।

पर आज नहीं हँस पा रही हूँ, जब मेरा पुत्र श्राद्ध सम्पन्न कर एक-एक कर पितामह-मातामह, पितामही-मातामही सबका स्मरण कर तिलांजलि दे रहा था और पंडितजी कह रहे थे, "आपके जो भी प्रिय दिवंगत बंधु-बान्धव हों उन्हें भी स्मरण कर जल दीजिए।" जी में आ रहा था कहूँ, एक तिलांजलि उसे भी दे दे जो इष्ट मित्र न होकर भी मुझे पुत्री-सी ही प्रिय थी। पर कैसे कह सकती थी, हिन्दू धर्म का व्याकरण बड़ा जटिल है। उसमें सामान्य-सी फेरबदल सम्भव नहीं है। मैं स्वयं नारी हूँ, किसी का श्राद्ध सम्पन्न करने के अधिकार से वंचिता। क्या दक्षिणाभिमुख हो, यज्ञोपवीत दाहिने कन्धे पर रख प्राचीनावीती करना सम्भव है मेरे लिए? तिल-जल-भृंगराज एवं तुलसी दल रख उसे वह पूरक पिंड दे सकती हूँ जो उसे प्रेत योनि से मुक्त करे? पर इतना तो कह ही सकती हूँ, 'अनादिनिधनो देव शंख चक्र गदाधरः, अक्षयः पुण्डरीकाक्षो प्रेत मोक्षप्रदो भव।'

चिरसाथी मोर

प्रकृति की यह एक सुखद देन है कि मनुष्यों को उसने विस्मरणशील बनाया है। भूल जाना भी एक शक्ति है, किन्तु जैसे-जैसे जीवन की अवनतमुखी सन्ध्या घनीभूत होती है, वैसे-वैसे अचेतन मन में छिपे अनेक विस्मृत चेहरे प्रकाशपुंज बनकर हमारा पथ-प्रदर्शन करने लगते हैं। जब आधुनिक युग की आधुनिकतम औषधियाँ, तन एवं मन की व्याधियों को दूर करने में असमर्थ हो उठती हैं, तब ही दादी-नानी के अचूक नुस्खों की भाँति उन विस्मृत व्यक्तियों के प्रेरणाप्रद वाक्य हममें नई स्फूर्ति एवं नई ऊर्जा का संचार सहसा कर उठते हैं। जब कभी जीवन में कोई संकट आया है, ऐसा संकट, जिसकी कभी कल्पना भी नहीं की थी, जब दैवी वज्रपात ने मेरुदंड हिलाकर रख दिया, लोहनीजी की बचपन में बार-बार श्रुतिलेख में लिखाई गई वे पंक्तियाँ स्वयं हाथ थाम लेती थीं :

तुलसी असमय के सखा धीरज धरम विवेक
साहित, साहस, सत्यव्रत रामभरोसे एक

हमें वे नित्य ये ही पंक्तियाँ लिखने को देते और हम कभी झुँझलाकर कहते "आपको कोई और दोहा-चौपाई नहीं आती क्या?"

आज सोचती हूँ, शायद वे जानबूझकर ही ये पंक्तियाँ बार-बार हमसे लिखवाते थे—कि उस कच्ची वयस में भले ही उन पंक्तियों का गूढ़ार्थ समझने की शक्ति हममें नहीं थी, किन्तु रसरी के 'सिल पर पड़त पिसान' की भाँति वे गाढ़े वक़्त हमारे काम आएँगी। उनका नाम था पुरुषोत्तम और उनका व्यक्तित्व भी उनके नाम को सार्थक करता था। ऊँचा डीलडौल, गोरा रंग, घनी मूँछें, बड़ी-बड़ी लाल डोरीदार आँखें और तीखी नाक के नीचे, पुष्ट मूँछों से ढके पृथुल अधरों पर सामान्य स्मित का भी आभास नहीं। उनका कहना था

कि हमारी माँ के विवाह के एक वर्ष पूर्व, हमारे गृह में उनकी नियुक्ति हुई थी, इसी से अम्मा के दादी-नानी बन जाने पर भी वे उनके लिए 'धुलैंणी ज्यू' (दुलहनजी) ही बनी रहीं। आए थे हमारे अटाले का भार सँभालने, पर कुछ ही वर्षों में, हमारे गृह के सब ही महत्त्वपूर्ण पोर्टफोलियो उनकी मुट्ठी में स्वयं सरक गए। खाना बनाने का भार उन्होंने अपने छोटे भाई देवीदत्त को सौंप दिया था। वे स्वयं अनायास ही हमारे उस गृह के सचिव, वित्त सचिव एवं सूचना प्रसारण सचिव के रूप में प्रतिष्ठित हो चुके थे–जहाँ आए दिन महिमामय अतिथिगण, छप्पर फाड़कर टपकते रहते थे–मदनमोहन मालवीय, स्वामी नित्यानन्द, सर गिरजाशंकर, सर सुल्तान अहमद, डॉ. अंसारी, पहलवान राममूर्ति, विभिन्न रियासतों के राजकुमार, जिनमें दतिया के महाराजकुमार 'बुलबुल' तो पूरे एक वर्ष तक हमारे गृह के सदस्य बनकर रहे। आतिथ्य निर्वाह का पूरा भार लोहनीजी पर ही छोड़ दिया जाता। उस पर पूजा-पाठ, रुद्र पार्थिव पूजन, जन्मदिन, अशौच निवारण यानी हमारे गृह के जन्म से लेकर मृत्यु तक के प्रत्येक अनुष्ठान का पौरोहित्य पूरे पचास वर्षों तक उसी विलक्षण व्यक्ति ने सँभाला। उनका स्वयं अपना भरा-पूरा परिवार था–दो पुत्र, एक पुत्री, जामाता और स्वयं उन्हीं के शब्दों में उनकी प्राणप्रिया उनकी 'बामणी', जिनसे मिलने वे वर्ष में एक ही बार जा पाते थे। ऐसे निःस्वार्थ, स्वामिभक्त सेवक की क्या इस युग में हम कल्पना कर सकते हैं!

हम भाई-बहनों में हम चार ही उनके अधिक सान्निध्य में रहे। मेरी सबसे बड़ी बहन चन्दा, जो लोहनीजी के शब्दों में 'शापभ्रष्ट गन्धर्व कन्या थी', उनकी सबसे प्रिय गृहसदस्या थी–"भगवान् की माया देखो, जन्मी तो मैंने ही पहले गोद में लिया, गई तो मेरी ही गोद में सिर रखकर।"

मेरे भाई त्रिभुवन, कुछ अपने भव्य व्यक्तित्व के कारण और कुछ दो पुत्रियों के बाद जन्मे पुत्र होने के नाते, घर-भर की आँखों के तारे थे। लोहनीजी को 'परखिया' कहकर भी पुकारते, तो वे उसकी अक्खड़ अशिष्टता को हँसकर झेल लेते।

असल में 'लालूसैप' (लालू साहब)–वे मेरे पिता को इसी नाम से पुकारते थे–"एक ही भूल की, बाद में समझेंगे, जिस लंगूरी कौम के पास इसे पढ़ने भेजा है, वह ऐसी ही तो शिक्षा देगी! अरे, जो दिशा-जंगल भी लोटा लेकर नहीं, कागज लेकर जाते हैं, वह तामसी कौम इसे क्या सिखाएगी? नाम जाते ही बदल दिया है, अब देखो, पूरा संस्कार भ्रष्ट कब करते हैं।"

त्रिभुवन तब नैनीताल में एक स्वतन्त्र बंगले में रह, दो विदेशी गवर्नेस मिस एवं मिसेज ममफर्ड से शिक्षा ग्रहण कर रहे थे। उन्हीं ने उनका नया नाम धरा था 'टिकर'! छुट्टियों में घर आते तो लोहनीजी का पारा गरम हो जाता, "हद है, अब रोटी भी छुरी-काँटे से खाने लगा है! मेरी मानो धुलैंणी ज्यू तो जितनी जल्दी हो सके, इसके गले में जनेऊ डाल दो! वो साली दुर्मुखी मेमों की मूठ फिर इस पर नहीं चल पाएगी।"

और फिर उन्हीं की जिद से बड़ी धूमधाम से त्रिभुवन का यज्ञोपवीत संस्कार ओरछा में सम्पन्न किया गया। वह धूम-गरज क्या किसी शादी-ब्याह से कम थी? टीकाराम पंडितजी काशी से अपने साथ वेदपाठी ब्राह्मणों की पूरी टीम लेकर पधारे थे। सोने-चाँदी की अंबारी से सजा, महाराज बीरसिंह देव जू का हाथी, बिजली की रंगीन जगमगाहट से नई-नवेली दुल्हन-सी सजी हमारी कुंडेश्वर की कोठी! बालबटुक के कान में गायत्री फूँककर लोहनीजी ने कहा था, "आज से तू फिर त्रिभुवन बन गया है, समझा? टिकर नहीं..."

शायद उनकी ही प्रबल इच्छाशक्ति का चमत्कार था कि सहसा हम तीनों भाई-बहनों की शिक्षा प्रणाली में आमूल परिवर्तन कर दिया गया। हमें पितामह की छत्रछाया में भेज दिया गया। गार्जियन बने लोहनीजी। संस्कृत पढ़ाने आते गंगादत्त शास्त्री। गणित पढ़ाते रघुवरदत्त जोशी, जो तब कुमाऊँ के रामानुजम थे। अंग्रेज़ी पढ़ाते स्वयं पितामह। सुबह पाँच बजे उठना अनिवार्य था। फिर हाथ-मुँह धोकर, लोहनीजी त्रिफला से आँखें धुलवाते और फिर अपने साथ लम्बी सफारी पर पैदल घुमाने ले जाते। लौटते ही लोहे ही कड़ाही में औट रहे दूध से छलकते गिलास थमाकर वे अपनी सुदीर्घ पूजा में जुट जाते। उस अमृतस्वरूपी दूध की घूँट अभी भी जीभ पर धरी है। अल्मोड़े का 'फालसिमा' ग्राम तब अपनी दूधो नहाई बिरादरी के लिए प्रसिद्ध था। वहीं का ग्वाला नागमल लोहनीजी से थरथर काँपता था। मजाल, जो कभी एक बूँद पानी मिलाने की धृष्टता कर सके!

"देख रे नागमलिया, कभी बूँद-भर पानी मिलाया साले, तो हम ब्रह्मतेज से तुझे भस्म कर देंगे..."

"कैसी बातें करते हो गुरु, पानी और इस घर के दूध में? ऐसा जिस दिन करूँ, गोहत्या का पाप लगे मुझे—राम-राम!"

एक नागमल ही नहीं, घर-भर के नौकर, नौकरानियाँ, बाजार के दुकानदार, फेरीवाले उनके ब्रह्मतेज से थरथर काँपते थे। सब जानते थे कि वे प्रसिद्ध संत

नारद बाबा के साथ रहे हैं और दिवंगत बाबा का अदृश्य साया उनके साथ निरन्तर चलता रहता है। उनका श्राप कभी व्यर्थ नहीं जा सकता।

तब अल्मोड़ा में बहू-बेटियों के बाजार जाने पर कठोर प्रतिबन्ध था। वर्ष में केवल दो बार हमें जाने की अनुमति मिलती—एक नन्दादेवी के डोले पर और दूसरी दीवाली पर। वह भी हमें पितामह के उतने ही कट्टर मित्र बद्रीलाल साहजी की नक्काशीदार अटारी से ही झाँकने-भर की। किन्तु मैं वयस में छोटी थी, इसी से लोहनीजी प्रायः ही मुझे अपने साथ ले जाते, किन्तु उनके हाट-पर्व का आरम्भ एवं अन्त होता उनके परम प्रिय मित्र सुन्दरलाल साह की दुकान पर। गत वर्ष लगभग चालीस वर्ष पश्चात् उस चिरपरिचित दुकान को देखा, तो दंग रह गई। इतने दीर्घ अन्तराल में भी न दुकान बदली है, न दुकानदार! सुन्दरलाल साह का वही चिकना-चुपड़ा गोरा चेहरा और ललाट पर वैसी ही चन्दन की बिन्दी! तब लोहनीजी को देखते ही उनका चेहरा खिल उठता था, "आओ, आओ गुरु! कहो, क्या खबर है ताजा?"

वयस में पर्याप्त अन्तर होने पर भी उनकी बातों का जैसे अन्त ही नहीं होता। मैं बुरी तरह ऊब उठती। एक तो परचून की दुकान, जम्बू, गन्ध्रैणी जैसे तीव्र पहाड़ी मसालों की सिर चकरानेवाली खुशबू, उस पर दोनों मित्रों की अशेष बतकही—मुझे चुप कराने साहजी कभी दाड़िमाष्टक की पुड़िया थमा देते, कभी स्वादिष्ट काली, सफ़ेद धारीदार 'वुल्स आई', जिसे खाना और बनाना शायद अब लोग एकदम ही भूल गए हैं। पर फिर भी मैं कुनमुनाने लगती—"चलो ना, लोहनीजी बाजार..."

"चुप कर लड़की, यह बाजार नहीं तो और क्या है? जानती है ना औरतों को बाजार नहीं देखना चाहिए—सुना नहीं तूने..."

सैंणि कै नी देखाओ बाजार
बैग कै नी देखाओ भनार

(स्त्री को बाजार और पुरुष को भण्डार नहीं दिखाना चाहिए।)

पर तब रामजे स्कूल के सामने अशेष पंक्ति में बिखरी बिसातियों की दुकानों में, कुमाऊँ की प्रत्येक किशोरी के प्राण बसते थे। नकली मूँग की मालाएँ, चमचमाते चन्दनहार, चूड़ियाँ, बालों के रंगीन फुँदनों में लगे घुँघरू, जिन्हें चोटी में गूँथ, जान-बूझकर इधर-उधर फेंक लड़कियाँ हवा में उड़ी चली जाती थीं। लकड़ी का वह लट्टू, जिसे फेंकने का एक खास अन्दाज, उसे ऐसी विलंबित चकरघिन्नी में देर तक घुमाता रहता कि आज इलैक्ट्रिक खिलौनों

की आभा भी फीकी पड़कर रह जाए! कभी-कभी लगता है कि आज विज्ञान ने बच्चों के खिलौने की दुनिया ही बदल दी है, किन्तु उनके बालसुलभ स्वाभाविक उस उल्लास को छीन लिया है, जो कभी हमारे बचपन की मुट्ठियों में बन्द था। पतंग उड़ाना, काँच पीसकर मंजे को तीखा बनाने में भाई को स्वेच्छा से दिया गया उत्साहपूर्ण सहयोग, गिट्टियों की वह सधी उछाल, वह 'मुट्ठी', 'इक्कम', 'दोयम'—उधर एक गिट्टी हवा में उछली और उसी दक्ष तत्परता से धरती पर पसरी चारों गिट्टियों को मुट्ठी में बाँध, ऊर्ध्व प्रक्षेपित गिट्टी भी साध ली! एक पैर उठा-उठा चौकड़ियों में पत्थर चूमकर फेंकना, हमारे ये सब व्याकरणी सूत्र ही बदल गए हैं। फिर भी कभी ये कौशल, जिन्हें हम बड़े परिश्रम और लगन से सीखते थे, आज किसी शून्य अन्तरिक्ष में विलीन हो गए हैं।

आज इलेक्ट्रिक खिलौनों का संसार बच्चों के लिए सहज-सुलभ बन गया है, इसी से शायद बच्चे अपने नवीनतम खिलौनों से भी ऊब उठते हैं, जबकि हमारी 'किरकैंची' या 'मछली मछली कित्ता पानी' वर्षों तक खेले जाने पर भी कभी बासी नहीं लगे। कपड़े की बनी गुठिया, जिसे बनाने में मेरी बहन जयन्ती की विशेष ख्याति थी, मुझे इतनी प्रिय थी कि एक दिन जब भाई से झगड़ा होने पर उसने मेरी अनुपस्थिति में उसे चूल्हे में झोंक दिया तो मैं उसकी अकाल मृत्यु पर फूट-फूटकर रोई थी।

लोहनीजी की पहली स्मृति मुझे बेरावल की है। हम दोनों भाई-बहनों को वे नित्य प्रातः सोमनाथ के मन्दिर में ले जाते। हमें खेलने छोड़ स्वयं वहीं पेड़ के तले लेट जाते और देर तक गाते रहते। उनकी एक ही प्रिय स्तुति थी :

बाघम्बर वाली कर दे दिलों के दुख दूर
कोई चढ़ावै ध्वजा-पताका
कोई चढ़ावै टूल
राजा चढ़ावै ध्वजा-पताका
रानी चढ़ावै टूल
बाघम्बर वाली...

उनका मांसल कंठ अत्यन्त मधुर था। देवालय के भीम घंटे की गुरुगम्भीर गर्जना के साथ उनकी वह स्तुति और भी मधुर लगती। कभी-कभी चरवाहे भी, अपनी लाठी टेक उन्हें भक्ति-विह्वल हो गाते देखते रहते। "देखो", एक

दिन मेरे भाई ने कहा, "शिव मन्दिर में देवी की स्तुति गा रहे हैं। असल में शिवस्तुति आती नहीं बुड़ज्यू को।"

उन्होंने सुन लिया, "अच्छा, हमें शिव की स्तुति नहीं आती, क्यों?" तब सुन :

जटाकटाह संभ्रम भ्रमन्निर्लिपं निर्झरी
विलोल विचि वल्लरी विराजमान मूर्धनि
धगद्धगद्-धगज्ज्वलं ललाटपट्ट पावके
किशोर चंद्र शेखरे रति प्रति क्षणं मम

उनका वह 'धगद्धगद्-धगज्ज्वलं ललाटपट्ट पावके' का सुरम्य पाठ हमें ऐसा मुग्ध कर गया कि जब कभी ट्रेन यात्रा का सुयोग जुटता, हम दोनों भाई-बहन रेलगाड़ी की झपताल के-से ठेके से उसे मिलाते गाते जाते।

तब हमारे गृह की समृद्धि चरम शिखर पर थी—बीसियों नौकर थे। सोबन सिंह, शेर सिंह, बिशन सिंह, उम्मेद सिंह, ठुल गुसैं (बड़ा गुसाईं), नान गुसैं (छोटा गुसाईं)। इनमें से सबसे पुराने थे, गुसाईं द्वय। बड़ा गुसाईं शाही तबीयत का अनुचर था। लम्बा कद, बेहद लम्बी नाक, कानों में सोने के नन्हे बटन पहनता था। इसी से लोहनीजी, जिन्होंने रामपुर नवाब रजाअली खान को कान में हीरे पहने देखा था, उसे 'अन्यारकोट का नवाब' कहकर पुकारते थे। उसका ग्राम अल्मोड़ा के श्मशानघाट विश्वनाथ के पास था। लोहनीजी कहते, "चिन्ताओं का धुआँ इसकी नाक से होकर दिमाग में बस गया है। इसी से इसके मुर्दे दिमाग में बात जरा देर से घुसती है। फिर हमने देखा, जो ठुल गुसाईं, लोहनीजी का सबसे मुँहलगा अनुचर था, उससे वे सहसा हमारे माध्यम से आदेश देने लगे, "मसानिया से कह दे, दही जमा दे। इससे कह कपड़े उठा ले। भूरे बादल घिरे हैं, पानी बरसेगा।"

हमारी समझ में पहले नहीं आया कि क्यों नवाब सहसा डिमोट होकर 'मसानिया' बन गया है। फिर एक दिन समझ गए, "मसानिया, यह मत समझना कि हमारी दो ही आँखें हैं! पीठ में भी दो आँख हैं हमारी, हम सब जानते हैं..."

"क्या जानते हो गुरु, क्या किया है मैंने?"

लम्बे-चौड़े उद्धत भृत्य के गाल पर लोहनीजी की छाप उभर आई थी, "बेशरम, पूछता है क्या किया...जानता है, किस घर का नौकर है तू? यह सब करना है तो किरिस्तानों की नौकरी कर। दो-दो बच्चों का बाप है तू। देवकी

का ब्याह कर चुका है, नागमल तेरा समधी है। सुन लेगा। तब?"

ठुल गुसैं क्यों उस दिन सिर झुकाए निरुत्तर खड़ा रह गया, हमारी समझ में बहुत बाद में आया। किसी नापित कन्या के साथ लोहनीजी ने उसे स्वयं देखा ही नहीं, यह भी सुना था कि वह उससे विवाह करने जा रहा है। यद्यपि अपना अपराध स्वीकार कर, बड़े गुसाईं ने उनके पैरों पर टोपी रख क्षमा-याचना भी कर ली थी, पर वे टस से मस नहीं हुए, "चोरी भी की होती तो मैं माफ कर देता, पर चरित्रहीनता को मैं माफ नहीं कर सकता।"

मेरी माँ पिघल गई थीं, किन्तु लौहपुरुष पुरुषोत्तम नहीं पिघले। वर्षों पूर्व जिसकी नियुक्ति उन्होंने की थी, उसी को समय से पूर्व अवकाश भी उन्हीं ने प्रदान किया।

हम कभी बीमार पड़ते तो वे ही हमारे एकमात्र कर्ण-दन्त चिकित्सक बनते। कर्णशूल हो तो सुदर्शन के पत्तों को दोनों हथेलियों में मसल, कान में दो बूँदें टपकाते, दर्द हवा!

जीवन-भर कभी आँखें न दुखने का उनका टोटका भी हमारे लिए अचूक रहा।

एक बार कहीं से एक सपेरे को पकड़ लाए। लाल-लाल आँखें। सिर पर उलझा रूखा जटा-जूट, कानों में बड़ी-बड़ी फीरोजा गुँथी बालियाँ। बुंदेल राजाओं की-सी विभाजित मेहँदी रँगी दाढ़ी। कन्धे के काँवर में लटकी, गैरिक कथरी में बँधी दो टोकरियाँ और टोकरियों में क्रुद्ध विवश फूत्कार छोड़ते विषधर। लोहनीजी ने हमें एक कतार में बिठा दिया।

"लो महाराज!" सपेरे ने बीन बजाकर एक टोकरी का ढकना खोलकर कहा, "सीधे अमरकंटक से पकड़कर लाया हूँ यह पद्मनाग! अभी जहर के दाँत भी नहीं उखाड़े..."

उस भयावह विषधर को गुलदस्ते-सा थाम, फिर उसने बारी-बारी से हमारी बन्द आँखों पर छुआया तो रक्त भय से जमकर हिम हो गया। न जाने कौन-सा मन्त्र पढ़कर बोला, "लो साहब, जिन्दगी-भर अब इन बच्चों की आँखें उठें तो हमारी आधी मूँछें मुँडवा दें!"

उसकी दुःसाहसी घोषणा हमें पूर्णतया आश्वस्त कर गई। अब इन मिचमिची कीचड़ सनी सूजी आँखों की सम्भावना भी हमें त्रस्त नहीं कर पाएगी। यदि कभी आँखें उठ आईं तो उसकी घनी लाल मूँछें मूँडने के मोहक

प्रस्ताव का निर्वाह करने हम उसे भला कहाँ ढूँढ़ पाएँगे, यह दुर्भावना हमारे दिमाग में ही नहीं आई। किन्तु उसका आश्वासन व्यर्थ नहीं गया। नागराज का वह मृत्युंजयी स्पर्श आज तक हमारी पलकों पर प्रहरी बना बैठा है। दंत चिकित्सक के रूप में लोहनीजी की विशेष ख्याति थी। हम भाई-बहनों की बचपन की पूरी दूधिया बत्तीसी, उन्हीं की कला को समर्पित हुई। दाँत हिला नहीं कि एक पतला तागा बाँध, लोहनीजी बड़े कौशल से खींचकर हमारी हथेली पर धर देते, "जा, अब हरी दूब के नीचे गाड़ आ।" ऐंटिबायटिक के रूप में हमें खाने को मिलता, शुद्ध घृत में तर, गरम-गरम सूजी का हलवा। मुझे स्मरण नहीं पड़ता कि कभी भी हमारे नए उगे स्थायी दाँतों में से किसी दाँत ने टेढ़े-मेढ़े होने की अनुशासनहीनता दिखाई हो। अब, जब बचपन से ही लोहे के तारों में कसी-फँसी अधिकांश किशोरियों की बत्तीसी देखती हूँ तो उन पर तरस आता है। जो उम्र नए-नए चपटे स्वाद चखने की है, उसी की बत्तीसी बेड़ियों में कसकर रख दी। सुना था चीन में बचपन में नन्हीं बालिकाओं के पैर उन्हें सुन्दर बनाने के लिए बाँध दिए जाते थे। लगता है, अब पूर्ण रूप से सभ्य बन गया मानव संसार-भर की किशोरियों की बत्तीसी बाँधकर ही रहेगा। अब शायद हमारा विश्वास अपने आदि सृष्टि-कौशल से उठ गया है। इसी से तो उसकी कला में मीन-मेष निकला, आए दिन हम उसके नम्बर काटने लगे हैं। उसके बनाए चेहरे को सँवारने के लिए हमारे पास अब प्लास्टिक सर्जरी है। उसका दिया रंग-रूप निखारने के लिए एक से एक रंग-रोगन है। अभी कुछ ही दिन पहले बम्बई में, मेरे भतीजे के नन्हे बेटे के दाँत में दर्द उपजा। दर्द से तड़पते उस तीन वर्ष के बच्चे को, तत्काल विशेषज्ञ के पास ले जाया गया। एक्स-रे हुआ। मन्त्रणा हुई। पद-पद पर विशेषज्ञों की मुट्ठी गर्म हुई और निश्चय किया गया कि उस नन्ही-सी जान को, बेहोशी देकर, दंतकोटर भरा जाएगा। अब कोई उन नए लुकमानों से पूछे कि उस तीन साल के बच्चे को बेहोशी देना, वह भी एक निरीह कच्चे दाँत के कोटर को भरने के लिए, कहाँ की बुद्धिमानी है? पर नहीं, अब तो जो विशेषज्ञ, जितना अधिक तामझाम सजाकर, हमसे जितनी बड़ी रकम उघाएगा, हमारी दृष्टि में वही सबसे बड़ा चिकित्सक है।

हमने भी कभी अपने कच्चे दाँतों में असह्य पीड़ा सही है। जहाँ दर्द उठा, लोहनीजी ने दूध टपकाती मदार की टहनी तोड़ी और वह दूध रुई से दाँत में भर दिया। फिर कहते, "अब लार टपका। खबरदार, निगलना नहीं, न हाथ

आँख में लगे।" फिर न जाने कौन-सा कीलक पीठ में ऐसा घूँसा मारते कि पूरा मेरुदंड झनझना जाता। बस, दर्द हवा! इसे पहाड़ी में 'भेद' कहते हैं। तब अल्मोड़ा में ऐसे दो ही दुर्लभ दंत-भेदिए थे—एक हमारे पुरुषोत्तम लोहनी, दूसरे गोवर्धनजी! फिर, हमने एक-एक कर बचपन की वे बीमारियाँ भी झेलीं। खसरा—जब आँख-नाक से बहता पानी और तीव्र ज्वर लगभग प्राण ही ले लेता। चेचक—जो देखते-ही-देखते सारे शरीर में मोती के-से छलछलाते दाने बिखेर देती थी। तब, रात-रात-भर हमारे सिरहाने बैठ, लोहनीजी मयूरपंख से हमारी पूरी देह को सहलाते। मन्त्रोच्चार से झाड़ते :

रोगान् शेषान्नपहंसि तुष्टा
रुष्टातु कामान् सकलान्नभीष्टान्
त्वामाश्रिता न विपन्नराणां
त्वामाश्रितानह्याश्रयतांभवंति

लगता था दाने-दाने की तपन, मोरपंख ने पल-भर में सोख ली है।

रवीन्द्रनाथ की एक मार्मिक कविता है—जब गृह का एक पुराना भृत्य अपने साथी के साथ वृन्दावन तीर्थ जाता है, वहाँ स्वामी को चेचक हो जाती है। वह उस परदेश में, दिन-रात स्वामी की सेवा में उसके सिरहाने खड़ा रहता है :

मुखे दैय जल, शुधाय कुशल
शिरे दैय मोर हाथ
दांडाए निझूम, चोखे नाँही
घूम मुखे नेई तार भात

वह पानी पिलाता है। बार-बार पूछता है—अब कैसी तबीयत है? सिर सहलाता दिन-रात मेरे सिरहाने खड़ा रहता है। न उसकी आँखों में नींद है, न मुँह में भात। फिर एक दिन स्वामी रोगमुक्त हो जाता है, किन्तु वही रोग सेवक को जकड़ लेता है। स्वामी की कालव्याधि को उसने जैसे स्वयं ग्रहण कर, स्वामी को रोगमुक्त कर दिया हो।

होये ज्ञानहीन, काटिल दू दिन
बन्द होइल नाड़ी
ऐतो दिन तारे गैनू छाड़ि बारे
ऐतो दिन गैलो छाड़ी

ज्ञानहीन भृत्य ने दो दिन काटे। फिर नाड़ी बन्द हो गई। जिसे कई बार जाने को कह चुका था, इतने दिनों बाद स्वयं चला गया। शोक-संतप्त स्वामी गृह लौटता है :

बहु दिन परे आपनार घरे
फिरिनू सारिया तीर्थ
आज साथे नाँई
चिरसाथी मोर शई पुरातन भृत्य

बहुत दिनों बाद तीर्थाटन कर घर लौटा हूँ, पर आज मेरे साथ मेरा वह चिरसाथी भृत्य नहीं है। हमारी कालव्याधि स्वयं ग्रहण कर वे चले गए, हम रह गए। उन्होंने हमारे साम्राज्य का उत्थान और पतन दोनों ही देख लिए थे। इसी से अब हमारा श्रीहीन गृह, उन्हें पद-पद पर डंक देने लगा। पहले पितामह को जाते देखा, फिर हमारी बहन को, पिता को, चाचा को, फिर भी वे साहस से जीर्ण वटवृक्ष की जिद से ही हमारे गृहप्रांगण में डटे रहे। किन्तु, जब एक-एक कर उन सबको भी भरी जवानी में ही कन्ध देना पड़ा, जिन्हें उन्होंने कन्धे पर बिठाकर घुमाया था, तो वे टूट गए। एक-एक कर पुराने नौकर चले गए। धीरे-धीरे मोनोग्राम अंकित, चाँदी की थालियाँ, कटोरियाँ बिकीं। वे भारी-भारी कालीन, कारचोबी की भारी शेरवानियाँ, कलंगियाँ, लहरदार साफे जो बिरादरी के शादी-ब्याहों में जितनी बार माँगी जातीं, उतनी बार लोहनीजी का पारा गरम हो जाता, न जाने कहाँ विलीन हो गईं! चाँदी का वह मस्जिदी गुम्बदवाला पानदान, जिसकी चेनों में गुँथी सुवासित मगही गिलौरियाँ मुँह में रखते ही, बताशा हो जाती थीं, वह चाँदी की तश्तरी, जिसमें अंकित बीसियों हाथी, अपनी सजीली सूँड उठाए परिक्रमा-सी करते मन मोह लेते थे, क्षीणकटि की गंगाजमुनी काम की गुलाबजलियाँ, सब पुराने कपड़ों में लपेटे, लोहनीजी ही एक-एक कर बेच आए और जितनी बार हमारी गृह-समृद्धि का कोष रिक्त कर लौटते, उतनी ही बार हमारे पट्टांगन की दीवार पर ऐसे मुँह लटकाए घंटों बैठे रहते, जैसे मुर्दा फूँककर लौटे हों।

अब उनकी आँखों की ज्योति भी क्षीण हो गई थी। वह सीना जो हमेशा कबूतर-सा तना रहता था, सिमट-सिकुड़कर बित्ते-भर का रह गया था। उनके बन्द गले का काला कोट, क्रिकेट खिलाड़ियों-सा सफ़ेद, पीली-नीली पट्टीदार स्वेटर जो कभी मेरे पिता ने उनकी फरमाइश पर उन्हें विदेश से लाकर दिया

था, क्रमशः क्षीण होती जा रही उनकी काठी पर ऐसे झूलने लगे, जैसे खेतों में खड़े बाँस के कागभगोड़े के तन पर झूल रहे हों। किन्तु रस्सी जलकर खाक भले ही हो गई हो, ऐंठ नहीं गई थी। उनकी जेब घड़ी, जिसने हमारे गृह की तीन-तीन पीढ़ियों के हर पल, हर क्षण को अनुशासन में साधकर रखा था, अभी भी उसी बाँकपन से, एक सिरा उनके कोट के बटन से लटकाए, उनकी जेब में टिक्‌टिक् कर रही थी। किन्तु उनके जीवन की घड़ी, धीमी पड़ने लगी। जो गृह नित्य ठसकेदार अतिथियों से गुलजार रहता था, अब वहाँ साधारण तबके के अतिथि वह भी भूले-भटके ही आते थे। लोहनीजी कहते :

पंत देख पांडे देख
मरण बखत करड़ी देख

अर्थात् पंत देखे, पांडे देखे, आज मरते वक़्त करड़ियों (करणी नाम का एक दरिद्र ग्राम) को देखना पड़ रहा है!

माँ उनसे कई बार घर लौट जाने का आग्रह कर चुकी थी, किन्तु उनकी अदम्य जिजीविषा ने उन्हें और भी जिद्दी बना दिया था।

"कैसे जाऊँ? अभी तो त्रिभी की शादी देखनी है, उसके बच्चों को गोद में खिलाना है..."

उसी भाई के विवाह के लिए, लड़की देखने का काम उन्हें ही सौंपा गया था। उस दिन उनकी सफ़ेद मूँछों से बरसती हँसी, रोके नहीं रुक रही थी। ऐसे यत्न से उन्होंने अपने को सँवारा, जैसे हमारे भाई के लिए नहीं, स्वयं अपने लिए कन्या देखने जा रहे हों। लौटे तो हमने घेर लिया—"कैसी लगी हमारी भाभी?"

"नौ रत्ती, बावन तोले," वे बोले, और फिर सहसा हमारे धैर्य को चुनौती देने होंठ भींचकर बैठ गये। एक चुप, हजार चुप। "बताइए ना, खूब गोरी है ना?"

"हमने चेहरा थोड़ी ही ना देखा—हम क्या जानें, गोरी हैं या काली! हाँ, चाय उनकी माँ ने जरूर पिलाई।"

"तब?" वह भुनभुना उठे, "क्या आप कन्या की माँ को ही देखकर चले आये?"

"और क्या! कन्या की माँ को देखकर पसन्द की गई लड़की कभी खोटी नहीं निकलती—एकदम पक्का रंग निकलता है उस लड़की का।"

"क्या भाभी का चेहरा सचमुच नहीं देखा आपने?"

"नहीं, पैरों के, हाथों के नाखून देख लिए थे हमने, माँ के पास घुटनों में सिर झुकाए बैठी थी..."

हम अम्मा पर बरस पड़े, "लो, और भेजो इन्हें! अब तक तो यही सुना था कि जानवरों की पहचान ही नाखून देखकर की जाती है।"

"तू चुप कर!" अम्मा ने डपट दिया, "लोहनीजी नारद बाबा के साथ रहे हैं, सिद्धि प्राप्त है उन्हें।"

बाबा की गाँजे की चिलम साधते-साधते भले ही उस अमल से लोहनीजी अछूते नहीं रहे हों, कुछ शक्ति उनमें थी अवश्य! कभी-कभी एकान्त में पतली चिलम के कड़वे धुएँ की लम्बी कश खींच वे कहते :

उस लड़के से लड़की भली
जिसने न पी गाँजे की कली

देखते-ही-देखते आँखें गुड़हल-सी लाल हो जातीं। उस दिन उनका मूड, उन्हीं की सुनाई कहानियों के चमत्कारी सिद्ध-सा हो जाता—"माँग बच्चा, जो माँगना है, माँग ले..."

हमारे गृह में दो ही चमत्कारी किस्सागो थे—एक हमारी माँ, दूसरे लोहनीजी! हमारे यहाँ तब दो लाइब्रेरी थीं, एक पितामह की, दूसरी माँ की। माँ की लाइब्रेरी में घर-भर के प्राण बसते थे, बंकिम ग्रंथावली से लेकर शरतचन्द्र, मेघाणी, मुंशी गुजराती, हिन्दी पुस्तकों से अल्मारियाँ ठसी रहतीं। घर का हर सदस्य पढ़ने के पीछे दीवाना था—'चाँद', 'विशाल भारत', 'सुधा', गुजराती की 'बेघड़ी मौज', गिजुभाई बधेका की दर्शनीय नन्हीं पुस्तकें, नियमित रूप से आतीं।

उन दिनों एक और प्रचलन था। हर तीसरे-चौथे महीने पुस्तकों से भरा टीन का बक्सा, कुली के सिर पर लाद, एक मनमोहक फेरीवाला आता। कैसी-कैसी पुस्तकें और शायद ही कोई अठन्नी से महँगी! 'चहारदरवेश', 'किस्सा हातिमताई', 'आल्हा ऊदल', 'उमरावजान अदा'। हमारा गृह फेरीवाले का पुराना ग्राहक था। इसी से कभी-कभी कमीशन के रूप में एक-आध पुस्तक हमें उपहार रूप में थमा जाता। ऐसे ही एक उपहार ने मेरे दाढ़ की जड़ें ही लगभग हिला दी थीं। हुआ यह कि उस दिन काफी खरीदारी हुई और मैं, ठीक वैसे ही एक फ्री पुस्तक की माँग कर बैठी जैसे चूड़ी पहननेवाले से फ्री सोहाग की चूड़ी की माँग किया करती थी।

"ले लो, अठन्नी की कोई भी किताब छाँट लो!" उसने कहा। मैंने इधर-उधर देखा और चट-से वह लुभावनी पुस्तक उठा ली, जिसे कभी न पढ़ने की चेतावनी कई बार दी जा चुकी थी—'तोता-मैना'।

इधर मैंने पुस्तक उठाई और उधर लोहनीजी न जाने कब आकर पीठ पीछे खड़े हो गये। फिर जो करारा झापड़ पड़ा कि दाँत झनझना गए, "मना किया था ना तुम्हें।"

मैंने जीवन में, सेंसर के ऐसे दो ही चाँटे खाये हैं, एक 'सरस्वतीचन्द्र' पढ़ने पर अम्मा का। अपराध था दस वर्ष की उम्र में उपन्यास पढ़ना और दूसरा 'तोता-मैना' पढ़ने पर लोहनीजी का।

फिर एक दिन उन्हें जाना ही पड़ा...

जिसका यौवन हमारे गृह में ही बीत गया था, उसका विवश वार्धक्य उन्हें उनकी प्राणप्रिया बामणी के पास खींच ले गया। वह सरला, पतिव्रता बामणी, जिन्हें सत्तर वर्ष की वयस हो जाने पर भी हमने कभी बिना घूँघट के नहीं देखा, मेरे भाई के विवाह के रतजगे में उन्हीं लजीली बामणी का नृत्य देख हम दंग रह गए थे।

हाथ जोड़ूँ गोरा जी
मैं तो बीबी बामणी

उन दिनों के उद्धत मर्कटमुखी गोरे फौजी से वह सरल निवेदन, वैसा ही कामार्त्त शत्रु से संघर्ष का ऐसा मौलिक अभिनय कि आज की बलात्कार अभिनय पटीयसी चलचित्र तारिकाएँ भी पानी भरें।

लोहनीजी केवल भूत-प्रेतों की ही कहानियाँ सुनाया करते थे। उनके शब्दों में वे कहानियाँ उनके भोगे हुए यथार्थ की कहानियाँ थीं।

"साली-हरामजादी चुड़ैलों को हम जाने क्यों पसन्द हैं! हमें देखते ही पीपल के पेड़ से टपटप टपकने लगती हैं, पर मजाल है जो आज तक हमें एक भी छू पाई हो!"

उनकी एक अत्यन्त प्रिय कहानी थी 'जागो हो, मैं लै उणयूँ' (रुक जाओ जी, मैं भी आ रहा हूँ)। कैसे वे घर से छुट्टियों के बाद अपने गाँव सतराली से, अँधेरे में उल्टी घड़ी देख, आधी रात ही को चल पड़े थे और पीछे-पीछे लग गया था मसान का खबीस। चलते-चलते घंटों बीत गये, पर रात नहीं बीती। अँधेरे घने जंगल से गुजर रहे थे तब वह नक्की स्वर गूँजा, "जागो हो...मैं लै उणयूँ।"

लोहनीजी समझ गए, वह कौन है। पर प्रेतबाधा का एक-एक कीलक अर्गला तो वे साथ लिए चलते थे, न हुंकारा दिया, न पीछे मुड़कर देखा, पर वह हरामी क्यों चूकता? मुस्टंडा, कभी बैल बनकर सींग घुमाता, कभी अग्निपुंज बनकर 'फ्वाँ फ्वाँ' करता! कभी नक्की स्वर में कहता। 'जागो हो!'

लोहनीजी स्वयं उसकी नक्की स्वर में वह हाँक दुहराते तो हम डरकर उनके पास सरक आते, "बस लोहनीजी, बस! अब कल सुनेंगे!"

वे हँसकर हमें पास खींच लेते, ''अरे पगली, जब तक वह पुरुषोत्तम है ना, इस घर में मजाल है जो कोई दुष्टात्मा कदम तो धर ले!"

लेकिन उनके जाते ही, न जाने कितनी अशरीरी आत्माओं ने हमसे हृदयहीन प्रतिशोध ले लिए। रोग-शोक, दुख-परिताप, विछोह ये सब दुष्टात्माएँ ही तो थीं! किन्तु, जाने से पहले वे मुझे एक गुरुमन्त्र अवश्य थमा गए। मैं विवाह के बाद, पहली बार मायके आई। मेरी उन्हें बड़ी चिन्ता थी। कहते थे, "तूने तो बस घुड़सवारी ही सीखी है...क्या करेगी ससुराल में?"

विवाह से पूर्व मैं सचमुच ही गृहकार्य में शून्य थी। शायद ही कभी पानी का गिलास भी स्वयं उठाकर पिया हो! विवाह हुआ ऐसे कट्टर सनातनी परिवार में, जिन्हें नौकरी की छाया से भी परहेज था। उस पर मेरा सबसे बड़ा अपराध था कि मैं उच्चशिक्षा प्राप्त अपने ससुराल की पहली पढ़ी-लिखी बहू थी। कभी छाता भी लगाकर कहीं चली जाती तो अन्तःपुर से छूटे विषबुझे बाण मुझे बींध डालते। अपने प्रगतिशील मायके से वहाँ आने पर मुझे उस गहरे सांस्कृतिक आघात ने गहन नैराश्य में डुबो दिया था।

पहली बार मायके आई तो माँ से सबकुछ छिपा ले गई, पर लोहनीजी ने एकान्त में पूछा, "क्यों, कैसी बीत रही है?"

मैं उत्तर नहीं दे पाई। अब तक यत्न से छिपाई गई वेदना, शतसहस्त्र धाराओं में फूट पड़ी। तीसरे ही दिन मुझसे चक्की में उड़द की दाल दलवाई गई। बीसियों सीढ़ियों में लक्ष्मीजी के पैर बनवाए गए। परात भर आटा गुँधवाया, उस पर गजब की छुआछूत। एकवस्त्रा बनकर खाना बनाओ। उस पर भी बड़े घर की बेटी होने का दिन-रात ताना सुनो!

मैं बुरी तरह सिसकने लगी थी। जानती थी, अब चाबुक पड़ेगा :

"कहता था ना घर का काम सीख, तब तो बड़ी माख लगती थी। भोगो।"

पर वे एक शब्द नहीं बोले। चुपचाप सुनते रहे। फिर मेरे सिर पर उन्होंने बड़े स्नेह से हाथ फेरा, "रो मत। तुझे पति तो देवता मिला है ना? धीरे-धीरे

ये छोटे-मोटे बादल खुद छँट जायेंगे। पहाड़ी डोट्यालों को देखा है ना? (पहाड़ी कुली जो अपनी ईमानदारी एवं दुर्वह बोझा ढोने के लिए कभी प्रख्यात थे) उनसे सीख! जब उनकी पीठ पर तीन-तीन मन का बोझ लाद दिया जाता है, तो जानलेवा चढ़ाई, बिना चूँ-चपड़ किए कैसे झेल लेते हैं, जानती है? उस बोझ पर स्वयं मन-भर का पत्थर लाद लेते हैं। आधी चढ़ाई चढ़ फिर खुद लादे गये उस पत्थर को दूर भनका देते हैं—पीठ का बोझा अचानक फूल-सा हलका लगने लगता है। और फिर देखते-ही-देखते रही-सही चढ़ाई वे पल भर में पार कर लेते हैं। वे कभी एक सीध में नहीं चलते, कभी दाएँ और कभी बाएँ यानी उबाऊ दिनचर्या में पल-पल खुद बदलाव ले आते हैं, वही सीख समझी। बोझ कभी भारी बोझ नहीं लगेगा।" जीवन के दुर्वह बोझ पर स्वयं लादा गया भारी पत्थर तो अब कब का भनकाकर दूर फेंक चुकी हूँ। पीठ का बोझ स्वयं ही फूल-सा हलका लगने लगा है। जीवन की एकरसता की तीखी चढ़ाई में, दायें-बायें चलने का प्रयास भी व्यर्थ नहीं गया। आधी से अधिक चढ़ाई तो पार कर ही ली है। लोहनीजी का दिया गया गुरुमन्त्र रही-सही चढ़ाई भी पार करा ही देगा। किन्तु, कभी-कभी अतीत पीछे खींचता अवश्य है :

बहुदिन परे आपनार घरे
फिरिनू सारिया तीर्थ
आज साथे नाँई
चिरसाथी मोर
शेई पुरातन भृत्य

चन्दन

लिखने बैठती हूँ तो हठात् लेखनी की गति स्वयं ही अवरुद्ध हो जाती है। क्या वह, जो इतने वर्षों से मेरे साथ मेरे बेटे के-से ही जन्मसिद्ध अधिकार से लड़ता-झगड़ता, जिद करता आया है; जिसके तेज स्वर ने एक बार मुझे अपने पुत्र के ही सन्निपात ज्वर की भाँति दारुण चिन्ता में डुबाकर रख दिया था, और मैं मनौती माँगकर भी निश्चिन्त नहीं हो पायी थी; जिसकी मेरे पड़ोसियों से आये दिन की झड़प, और सर्वोपरि जिसकी नाक पर दिन-रात बैठे रहने वाले असह्य क्रोध ने मुझे एक बार नहीं अनेक बार विवादास्पद उलझनों में डालकर रख दिया है—उसे मैं नौकर कह सकती हूँ?

मुझे आज भी वह दिन याद आता है, जब मेरा चपरासी खड़कसिंह इस नन्हें बालक को मेरे पास लाकर खड़ा कर गया था—"ले रे चन्दन, ये हैं तेरी नयी मेमसाहब, पैर छू इनके..."

हमारा तबादला लखनऊ हो गया था और खड़कसिंह से मैंने एक छोटा-सा नौकर लाने को कहा, तो वह अपने इस अनाथ भतीजे को ले आया था। "यह तो बहुत ही छोटा है! क्यों रे, वहाँ जाकर फिर तू घर के लिए रोयेगा तो नहीं?" मैंने पूछा।

"नहीं," उसने अपने झबरे बालों को हिलाकर, अपनी उजली हँसी का समर्थन प्रस्तुत किया। हँसने पर उसके गालों में पड़े गढ़े और गहरे उभर आए। मेरे पति ने उसे इंटरव्यू में पास कर दिया—"बड़ा हँसमुख लड़का है, तुम्हें कभी धोखा नहीं देगा।"

"लाला के कॉफी हाउस में काम कर चुका है, सरकार। आप पूछ सकते हैं, बड़ा ईमानदार लड़का है।" खड़कसिंह ने कहा भी था। किन्तु उसकी निर्दोष हँसी में ही उसकी ईमानदारी का सजीव प्रमाण हमें मिल चुका था। मेरा पुत्र

उसी का समवयसी था। इसी से पहले ही दिन से दोनों में खासा मेल हो गया। किन्तु फिर उसी दिन से, दोनों की वह मैत्री मेरा एक बहुत बड़ा सिरदर्द भी बन गई। मैं किसी भी काम के लिए चन्दन को पुकारती, तो मेरा पुत्र कठोर स्वर में मेरे आदेश की धज्जियाँ उड़ा देता, "चन्दन अभी नहीं आ सकता दिद्दी, हम क्रिकेट खेल रहे हैं।" या "मैं उसे साइकिल सिखा रहा हूँ।" या "हम पतंग उड़ा रहे हैं और वह मुझे छुटैया दे रहा है।" मैंने उसी दिन से इस कटु सत्य को स्वीकार कर लिया कि मुझे नौकर नहीं, मेरे पुत्र को एक साथी मिला था।

"क्यों रे, पढ़ना आता है तुझे?" मैंने एक दिन पूछा तो उसने फिर सिर हिला दिया—"नहीं।"

"नहीं!" मैंने बड़े आश्चर्य से पूछा। पहाड़ की साक्षरता तो प्रसिद्ध है तब यह कैसे अनपढ़ रह गया? रहस्योद्घाटन किया स्वयं बेटे ने!

"यह तख्ती लेकर पढ़ने तो गया था दिद्दी पर इसके मास्टर साहब ने इसे पहले ही दिन, बिना किसी बात के मुर्गा बना दिया। इसने खींचकर पाटी मास्टर के सिर पर ऐसे जोर से मारी कि दो टुकड़े हो गई।...शाबाश, बड़ा तेज है ये!" मेरे बेटे ने बड़े गर्व से अपने बहादुर साथी की पीठ थपथपायी। "तभी तो यह घर से भाग आया है," फिर उसने हँसकर कहा। मास्टर की खोपड़ी पर पहाड़ी शीशम की मजबूत पाटी को पटक, शिवधनु की भाँति दो टूक कर देनेवाले मेरे पुत्र के इस दुःसाहसी साथी ने अब अपने इस अपूर्व दुष्कृत से उसका चित्त पूर्ण रूप से विजित कर लिया था।

"हाय राम, जब पाटी का यह हाल हुआ तो तेरे मास्टर की खोपड़ी का क्या हाल हुआ होगा रे?" मैंने सहमकर पूछा। वह हँसकर चुप रह गया।

मैंने उसी दिन उसका अक्षरारम्भ कर दिया और उसकी कुशाग्र बुद्धि का परिचय पा, दुगुने उत्साह से मैं उसे पढ़ाने लगी। आज वही चन्दन, जो कभी तस्वीर की किताब में बने शेर के चित्र पर उँगली धरने में सहमकर बड़े भोलेपन से पूछता था, "बाप रे बाप, गुलदार! कहीं मुझे खा जायेगा, तब?" अब सामान्य रूप से ललकारे जाने पर चिड़ियाघर के बब्बर शेर को भी बाहर खींच, कुश्ती लड़ सकता है। कभी जिसे मैं 'अ' से अजगर और 'आ' से आम सिखाने में पसीना-पसीना हो जाती थी, वह आज 'दिनमान', 'धर्मयुग' ही नहीं, 'टाइम्स', 'लाइफ' और 'मैड' को भी चटखारे ले-लेकर पढ़ता है, तो मुझे सचमुच ही अपनी अध्यापन-प्रतिभा पर गर्व होता है। मेरे पुत्र के मित्र उसके भी मित्र हैं और जब कभी उससे मिलते हैं, तो "हैलो बॉस!" कहकर उसे

पुकारना नहीं भूलते; और वह भी उसी अन्दाज से हाथ हिला-हिलाकर एकदम अमरीकी मीड़ खींच, प्रत्युत्तर देता है—"हा-य!"

गत वर्ष जन्माष्टमी को कुश्ती-दंगल देखने की अनुमति माँगने वह मेरे पास आया, तो मैंने कुछ शंकित होकर ही उसे अनुमति दी थी—"देख, किसी से लड़ना-भिड़ना नहीं।" अपनी हँसी से मुझे आश्वस्त करके ही वह गया था। दंगल हमारे घर से कोई दस गज के फासले पर लगता था। दूर-दूर से पहलवान आते थे और कुश्ती-प्रेमी जनता की भीड़ देखते-देखते ही अहाता घेर लेती थी। वहाँ के माइक में बोले गए विजयी वीरों के नाम हमारे बरामदे में भी गूँजते थे। "पहाड़ी पहलवान सर्वप्रथम" की घोषणा हमने भी सुनी, किन्तु तब यह सम्भावना दिमाग में भी नहीं आयी कि यह वीर घटोत्कच हमारा चन्दन भी हो सकता है। जब वह आया, तो मैंने पूछा, "वह पहाड़ी पहलवान कौन था रे?"

गर्वीली-लजीली मुस्कान के साथ उसने नम्र स्वर में कहा, "वह तो मैं ही था जी!"

"तू?" मैंने अविश्वास से पूछा, "पर तुझे कुश्ती किसने सिखाई?"

"किसी ने नहीं। वहीं पर मैं खड़ा था। अखाड़े में लड़ रहे एक पहलवान को गिरते देख हँसा, तो उसने मुझे ललकार दिया, 'तमाशा देखने आए हो, इसी से हँस रहे हो, अखाड़े में कूदो तो जानें!...' "

बस फिर क्या था, ऐसी चुनौतियाँ स्वीकार करने को ही विधाता ने इस अलौकिक व्यक्तित्व की सृष्टि की है! बारह आने में वहीं पर एक लाल लंगोट खरीदा और उत्तर दिया प्रतिद्वंद्वी को पटककर। उदारता ऐसी कि पुरस्कार में मिली धनराशि भी वहीं प्रशंसकों में वितरित कर अपनी मूँछों पर ताव देते घर लौट आए।

कुछ ही महीनों पूर्व इससे भी अधिक दर्शनीय एक कुश्ती देखने का सौभाग्य मुझे भी हुआ था। हम नैनीताल गये थे। मेरी बहन के अहाते में एक उद्दंड-उन्मत्त वृषभ ने अपने आतंक से लोगों को बुरी तरह सहमा दिया था। कभी स्कूल जा रहे किसी बालक को सींगों पर उछाल देता, कभी अकारण ही पूँछ उठा अस्पताल के किसी वार्ड-ब्बॉय को खेतों में पटक देता। उसकी हुंकार सुनते ही द्वार पटापट बन्द कर दिए जाते और भीतर से ही पत्थर मार-मारकर उसे भगाया जाता। एक दिन एक विचित्र जवाबी हुंकार से हमने चौंककर देखा कि चन्दन उसी क्रोधी साँड़ से भिड़ा हुआ, बार-बार उसे सींग पकड़कर पीछे ढकेल रहा है और उतनी ही बार क्रोधी नथुनों से झाग की पिचकारियाँ छोड़ता

वह साँड़ सिर झुकाए, पूरी शक्ति से उसका पेट चीरने चला आ रहा है। भय से मेरा रक्त जम गया। निश्चय ही आज यह साँड़ इसका पेट चीरकर रहेगा। देखते-ही-देखते उस अपूर्व कुश्ती को देखने भीड़ जुट गई, "अरे वाह रे ठाकुर के बच्चे!...शाबाश मेरे वीर, असली कुमय्याँ ठाकुर है बेटा!" आदि भाँति-भाँति की उल्लसित गर्जनाओं से गिरि-कन्दराएँ गूँजने लगीं।

मैंने तो भय से आँखें ही बन्द कर लीं—हाय, अब इसे कुछ हो गया, तो इसके चाचा से क्या कहूँगी!

सहसा चन्दन ने बाबर की तुलुगमा रणनीति अपना ली। जैसे ही बैल पीछे जाकर, सिर झुकाकर हमला करने बढ़ता, वह पत्थरों की बौछार से उसे फिर पीछे ढकेल देता। पत्थरों का बारूद जनता बराबर सप्लाई किए जा रही थी। सहसा विजय-ध्वनि से एक बार फिर घाटी गूँज उठी। शत्रु दुब दबाकर तेजी से भागा जा रहा था।

"अरे वाह-वाह, क्या मारा है! खून से लथपथ हो गया।" अब समझ में आया कि कुश्तीप्रेमी क्यों रुपया खर्च करके पशु और मानव की यह कुश्ती देखने स्पेन जाते हैं।

इधर संयोग से जब कभी मेरे पति खाना खाने बैठते और मुख में पहला कौर धरते कि किसी-न-किसी मन्त्रीजी का फोन आ जाता। कुछ दिनों बाद, जब यह असमय का कॉल नित्य का नियम बन गया, तो चन्दन ने किसी प्रधानमन्त्री के रूखे पी.ए. की ही कर्तव्यपरायणता से उस मुखर फोन को अपने संरक्षण में ले लिया। पहले-पहल बातों का क्रम कुछ-कुछ ऐसा रहता :

"मैं मन्त्री बोल रहा हूँ।"

"मैं चन्दन बोल रहा हूँ।"

"अरे भई, मैं मन्त्री बोल रहा हूँ।"

"अरे भई, मैं चन्दन बोल रहा हूँ।"

(कुछ झल्लाकर)—"पंतजी हैं?"

"जी, नहा रहे हैं।"

"कब तक नहा लेंगे?"

"यह मैं कैसे बता सकता हूँ जी?"

"क्या?"

"जी...बता तो वही सकते हैं जी, जो नहा रहे हैं।"

लपककर उसके हाथ से फोन छीनने पर भी मैं अन्तर्राष्ट्रीय स्तर पर बिगड़

रहे अपने राजनयिक सम्बन्धों को फिर सुधार नहीं पाती।

"ऐसे क्यों बोलता है तू, चन्दन? कह देता अभी आ जायेंगे।" मैं डाँटती तो वह दुष्टता से मुस्कराकर कहता–"रोज-रोज बाबू का खाना ठंडा हो जाता है।"

"भलेमानुस, यह तो कह सकता था कि खाना खा रहे हैं," मैंने कहा। दुर्भाग्य से दूसरे दिन, ठीक उसी समय पहले कौर के मुँह में रखते ही फिर वही घंटी बजी। मैं उसी तेजी से भागी जैसे कोई खिलाड़ी बालक पतंग की कटी डोर पकड़ने लपकता है। पर तब तक रिसीवर चन्दन के हाथ में जा चुका था। अपना अचूक निशाना साध फिर गोली दागने में उस निर्भीक सैनिक ने एक पल का भी विलम्ब न किया।

फोन फिर किसी मन्त्रीजी का ही था।

"क्यों भई, पंतजी हैं?"

"जी हैं, पर खाना खा रहे हैं।" शायद पहली बार उसने ईमानदारी से उत्तर दिया था।

"अरे भई, मैं मन्त्री बोल रहा हूँ।" मैं वहीं पर खड़ी उनके आदेश को स्पष्ट सुन रही थी। मैं समझ गयी कि परिचय का उल्लेख केवल इसीलिए किया गया था कि खाना खा रहे हों तो भी उन्हें फोन दे दिया जाए। "सुना, मैं मन्त्री बोल रहा हूँ!" इस बार स्वर पंचम से धैवत में पहुँच गया था।

"तो बोलिए फिर।" और उसने रिसीवर नीचे रख दिया, फिर मेरी ओर देखकर बड़े गर्व से मुस्कराया, जैसे कह रहा हो–'देखा दीदी, कैसा जवाब दिया।'

"छी चन्दन, तू क्या कभी ढंग से बातें करना नहीं सीखेगा?" मैंने उसे बुरी तरह फटकारा, पर मेरी फटकार सदा की भाँति चिकने घड़े पर पड़े जलबिन्दु-सी ही ढुलक गई। एक-एक करके वह अब तक शायद प्रदेश के पूरे मन्त्रिमंडल को ही रुष्ट कर चुका है। इसी से बत्तीस दाँतों के बीच सहमी जिह्वा-सी मैं अपने अन्धकारमय भविष्य की कल्पना करके कभी स्वयं सिहर उठती हूँ। लक्ष्मण की भाँति यह अभागा क्या एक ही परशुराम को अप्रसन्न कर चुप बैठ पाया है? इसके अपराध को देख यदि कभी मेरे पति का तबादला अण्डमान भी कर दिया गया तो भी समझूँगी कि हम सस्ते ही छूटे।

एक दिन किसी मन्त्रीजी के कुछ गर्वीले पी.ए. महोदय का फोन आया, "देखो जी, मैं फलाँ मन्त्रीजी का पी.ए. बोल रहा हूँ। साहब को फोन दो।"

कुछ अकड़कर ही उसने कहा।

"नहीं दे सकता।" उस स्वाभाविक निर्भीकता की गूँज ही मुझे वहाँ खींच लाई।

"क्या?"

"जी, नहीं दे सकता। क्योंकि साहब हैं ही नहीं, घूमने गए हैं।"

"तुम कौन बोल रहे हो?" स्वर में रपट लिख रहे किसी अनुभवी थानेदार की-सी ही कठोरता 'किर्र' से गूँजती निकली।

"जी मैं?" पूछनेवाले को चिढ़ाने के लिए ही वह अबोध बना, अनावश्यक किस्तों में अपना विलम्बित उत्तर दे रहा था।

"और क्या मैं?"

खु-खु करके हँसी, फिर वही प्रश्न—''जी मैं?'' फिर हँसी और फिर वही—''जी मैं?''

"बेवकूफ, जंगली हो तुम।" स्वर इस बार ऐसे गरजा जैसे रिसीवर को ही चकनाचूर कर देगा—"मैं पी.ए. बोल रहा हूँ।"

"ओह तभी ही तो, यह मैं समझ ही गया था जी, कि आप पिये हैं। पिये न होते तो ऐसे थोड़े ही बोलते...एक दिन हमारा धोबी भी पीकर ऐसे ही गरज रहा था..." फोन रखकर वह हँसता-हँसता दोहरा हो गया। "खूब पीकर बोल रहे थे हजरत, इसी से तो अकड़ रहे थे!"

"चल हट!" मैंने उसे डाँटकर कहा, "पी.ए. मन्त्रीजी का सेक्रेटरी होता है मूर्ख!"

बस उसी क्षण, उस संक्षिप्त संबोधन की महत्ता ने उसे मोह लिया। दो अक्षरों में कैसी महिमा भरी थी, कैसी गरिमा! अब किसी का फोन आता है, "कौन बोल रहा है?" तो वह अपने उत्तर को स्वाभाविक "जी" से नहीं सँवारता। "मैं पंतजी का पी.ए. बोल रहा हूँ, चन्दन।" कहकर पीठ सतर कर खड़ा हो जाता है।

किन्तु समस्त ब्रह्मांड से अकेले ही मोर्चा लेनेवाले मेरे पति के इस दुःसाहसी पी.ए. की उग्र नक्सलवादी गतिविधियों ने इधर मेरी उलझनें विकट रूप से बढ़ा दी हैं। घर से बाहर निकलता है, तो हवा से लड़ता है। पत्रिकाएँ पढ़ता है और जब कहीं किसी आलोचक ने मेरी किसी कहानी को बुरा-भला कह दिया, तो बाँहें समेट लेता है, "चिन्ता मत करो दीदी, आने दो कभी ससुर को लखनऊ, मैं निबट लूँगा।" एक लम्बी साँस खींच, चुप रहने के अलावा

मेरे लिए और कोई मार्ग नहीं रह जाता। चाहने पर भी अब क्या मैं आँगनकुटी छवाकर 'निंदक नियरे' रख सकती हूँ?

किन्तु इसी क्रोधी, दुर्वासा रूपी अनाथ उद्दंड किशोर के स्वभाव का एक दूसरा पक्ष भी है—बुलडॉग की ही भाँति शायद विधाता ने उसे केवल 'वन मैन्स डॉग' बनाया है। हमारे परिवार के प्रति उसकी निष्ठा, स्वामिभक्ति और प्रेम स्वयं अपने में एक अनूठी मिसाल है। किन्तु यदि किसी और ने उस पर रोब जमाने की चेष्टा की तो वह पैंतरा बदल लेता है।

कपड़ों के चयन में उसकी रुचि सर्वथा मौलिक है। कभी-कभी तो अपना पूरा वेतन ही वह कपड़ों में फूँक डालता है। डैनम के बैलबॉटम, गुरु कुरते, नैनीताल के तिब्बती बिसातियों से खरीदी हुई अनोखी मालाएँ, सुमरनियाँ, एक-एक बालिश्त चौड़ी 'आई लव यू' लिखी कमर की पेटियाँ और कन्धे तक झूलती अत्याधुनिक अयाल! फरमाइश भी उसकी मौलिक रहती है। मैं गत वर्ष आकाशवाणी की एक परिचर्चा में भाग लेने बम्बई जाने लगी तो मैंने पूछा, "क्यों रे, तुझे क्या चाहिए बम्बई से?"

"धर्मेन्द्र से कहिएगा, अपने चौखाने ट्वीड का नमूना मुझे भेज दें।"

"धर्मेन्द्र से?" मैं जैसे आकाश से गिरी।

"हाँ, मैंने उनके इंटरव्यू में पढ़ा था कि उन्हें आपकी कहानियाँ बहुत पसन्द हैं।"

दुर्भाग्य से मेरी भेंट धर्मेन्द्र से नहीं हो पायी। मिलते, तो शायद मेरे इस विचित्र दत्तक पुत्र की अनोखी फरमाइश पूरी भी कर देते।

जो चन्दन को नहीं जानता, उसकी वेशभूषा, गतिविधि देख उसे मेरा ही पुत्र समझता है। कुछ दिन पूर्व, मेरे एक ब्रिगेडियर मित्र मिलने आए। खिड़की पर चन्दन को देखा, तो हँसकर पूछने लगे, "अच्छा, तो यह तुम्हारा बेटा है!"

नहीं, यह मेरा बेटा नहीं, मेरा नौकर है। यह मैं चाहने पर भी नहीं कह पायी।

जो मेरे बच्चों के साथ उन्हीं की भाँति मुझे 'दीदी' और मेरे पति को 'बाबू' कहता आया है; जिसे मेरी बेटी अपने भाई की ही जैसी अविकल जुड़वाँ राखी भेजना कभी नहीं भूलती; जो मेरे पति के ऑपरेशन के पश्चात्, उन्हें होश में आने के लिए यन्त्रणा से छटपटाते देख अपना रुआँसा सफ़ेद चेहरा अधमुँदे द्वार की दरार से सटा घंटों खड़ा रहा था—उसे मैं अब नौकर कहूँ भी, तो किस मुँह से?

दाना मियाँ

कद्दावर पठान की सतर देह, पके सन-से बाल, करीने से कतरी-छँटी सफेद दाढ़ी और चेहरे पर एक अविचल गाम्भीर्य, यही थे दाना मियाँ। बच्चे देखते, तो खुशी से बढ़कर घेर लेते। बड़ों की उत्सुक दृष्टि उनके कुली की पीठ पर लदे गट्ठर की चादर को चीरने-फाड़ने लगती।

"क्या-क्या लाए हैं आज आप?" बच्चे पूछते।

"सबर...सबर," दाना मियाँ दोनों हाथ फैला-फैलाकर ऐसे अन्दाज से मुस्कराकर कहते कि उत्सुकता और बढ़ जाती।

गट्ठर उतरता और दाना मियाँ जेब से तम्बाकू की डिबिया निकालकर तम्बाकू खाते। फिर छोटा-सा बटेरी बटुआ खुलता, उसमें से छालियाँ निकलतीं। बच्चों की अधीरता और बढ़ती।

"खोलिए न दाना मियाँ!" बच्चे मचलते और सधे हाथों से दाना गठरी की गाँठ खोलते, जैसे कोई ख्यातिप्राप्त सर्जन पेट चीरकर 'एपेंडिक्स' निकाल रहा हो। "वाह-वाह! यह देखो, क्या बढ़िया 'कामिक' है...यह रही 'टिटबिट'...यह है 'वेस्टर्नर'...और हुज़ूर, यह क्या आला किताब साहब बहादुर के लिए..." कहते हुए वे धूल-गर्द से पीली पड़ी दस साल पुरानी 'डाइजेस्ट' निकालकर झाड़-पोंछकर ऐसे यत्न से हथेली पर टिकाकर पेश करते, जैसे खान का निकाला हुआ खरा सोना हो।

"बहुत पुराना है दाना, सन् 52 का"...हम देखकर कहते, तो वे कत्थे से लथपथ बत्तीसी दिखाकर हमारे अज्ञान पर हँस पड़ते, "वाह साहब! हमारे 'बरौन' साहब कहते थे कि पुरानी किताब में पुरानी 'बरन्डी' का मज़ा आता है।" लिहाजा सन् 52 की पुरानी 'डाइजेस्ट' खरीद ली जाती, छः 'कामिक', दो 'लाइफ' और चार 'पोस्ट' भी।

कुल एक रुपये बारह आने लेकर दाना बड़ा लम्बा सलाम झुकाकर ऐसे झूमते चले जाते, जैसे हम पर बहुत अहसान कर गए हों। "ऐसी उम्दा किताबें मिट्टी के मोल दे गया हूँ सरकार..." वे कहते। पाँचवें-छठे दिन उन्हीं पुस्तकों को फिर आधे दामों में गठरी बाँधकर कुछ नई किताबें दे जाते। यही उनका धन्धा था। जब चले जाते, तो कभी लोग बड़बड़ाते, "अजब बुद्धू बने! चित भी मेरी, पट भी मेरी–किताबें भी ले गया, पैसे भी।"

एक दिन मैंने यही बात दाना से कह दी, तो चट से बोले, "गुस्ताखी माफ हो हुजूर, पर इन पढ़े-लिखों से तो हम बिनपढ़े भले। इत्ती-सी बात आपके दिमाग में नहीं आई। आप लोग सनीमा में जाते हैं। पैसा खर्च कर, टिकिट खरीदकर तमाशा देखते हैं। कोई गाँठ बाँधकर तिजोरी में तो नहीं रखते उस तमाशे को। ऐसा ही किताबों का इल्म है–पढ़ा और दिमाग की तिजोरी में भर लिया मेम साहब! जिनके पास जितनी ज्यादा किताबें देखें, समझ लें सरकार कि दिमाग की तिजोरी उतनी ही खाली है।" उनके कहने का अनूठा ढंग हमें कुछ ऐसा पसन्द आया कि हमने दिमागी तिजोरी को भरना ही श्रेयस्कर समझा।

दाना मियाँ को नैनीताल में तीस बरस हो गए थे। नैनीताल आये थे नौकरी की तलाश में। अंग्रेज़ों का जमाना था; खानसामा या बैरागीरी मिलना आसान था। पर दाना को था शेर-ओ-शायरी से शौक। आजाद तबीयत पाई थी। जवानी कनकौवे उड़ाकर बिता दी थी। अब नौकरी करने की तबीयत नहीं थी। एक दिन देखा, एक कबाड़ी किसी हलवाई से मोल-तोल कर कुछ अंग्रेजी 'पोस्ट' व 'लाइफ' बेच रहा है।

"आय-हाय! हमने सोचा हुजूर!" और दाना मियाँ की पानीदार आँखों में जैसे वह दिन तैर उठता, "ऐसी आला तस्वीरों-भरी किताबें और इनमें बँधेंगी जलेबी और बालूशाइयाँ! हमसे नहीं रहा गया। कुछ पैसे जेब में थे, कुछ कर्ज़ लिए और किताबें समेट लीं। बस, वह दिन और आज, किताबें ही हमारी जिन्दगी बन गईं।"

दाना मियाँ अधिक पढ़े-लिखे नहीं थे, पर अंग्रेजी पुस्तकों को बेचते-खरीदते उन्हें समझने भी लगे थे। "अब कहाँ हैं वे किताबें और कहाँ हैं वे खरीदनेवाले! एक जमाना था, जब लोग गाल्सवर्दी और टॉलस्टॉय माँगते थे। अब माँगते हैं पीटर चैनी!" दाना उदास हो जाते और पादरी 'बरौन' को याद करते, जिन्होंने दाना मियाँ के पास मोपासाँ की एक फटी-सी किताब देखकर

पाँच का नोट थमा दिया था—"एक रुपया किताब का और चार तुम्हारा बख्शीश।"

"और अब देखिए," मोपासाँ की एक नई-सी पुस्तक दिखाकर वे बोले, "दस दिन से पड़ी है, कोई पूछता ही नहीं। सनीमे की किताब हो, फिर देखिए! लोग कैसे टूट पड़ते हैं!"

शनिवार को उनकी अच्छी-खासी बिक्री हो जाती थी। "मेट," वे कुली से कहते, "इंशाअल्ला, आज तुमको गोश्त खिलाएगा।" फटे चिथड़ों से जुएँ बीनता उनका पुराना कुली बहादुर मुस्करा देता। शनिवार को दाना अंग्रेजी स्कूलों की फेरी लगाते। उनकी दृष्टि में हमारी सरकार ने एक ही काम बुद्धिमानी का किया था और वह था अंग्रेजी स्कूलों की सत्ता कायम रखना। "ये न होते मेम साहब, तो रोटियों के लाले पड़ जाते—नकटा जिया बुरा हवाल होता। शनीचर को इन स्कूलों की फेरी लगाई और दो-चार दिन मौज कर ली। अब अंग्रेज 'नन' हैं। न मोल न तोल, खरी चीज़ देखी तो खरे दाम थमा दिए—मिनटों में सौदा हो गया। अब हिन्दुस्तानी ग्राहक हैं, बुरा मन मानिएगा हुजूर, ऐसे मोल-तोल करेगा कि कान के पर्दे फट जाएँगे—यह पन्ना फटा है, जिल्द पुरानी है, हल्दी के दाग लगे हैं—गोया किताबें नहीं, मछली खरीद रहे हैं। गुस्सा पी लेता हूँ। दुकानदार वही है, जिसने ग्राहक की धौंस सह ली।" दाना मियाँ मुस्कराकर कहते और एक फटी-सी किताब का भी तगड़ा मोल चुकाकर हम खरीद लेते; बार-बार दिल को यही दिलासा देते कि यह मछली नहीं, किताब खरीदी है।

कई वर्षों से आते-जाते दाना हमारे परिवार में ऐसे घुल-मिल गए थे कि दो-चार दिन भी न आते, तो ऐसा लगता—अर्से से नहीं आए हैं। एक बार ऐसे ही एक हफ्ते तक नहीं आए। जब आए, तो सबने घेर लिया, "कहाँ गए थे? क्या-क्या नई किताबें लाए हैं?" 'सबर...सबर...' कहकर उन्होंने रहस्य की चादर फैला दी। तभी बच्चों ने देखा कि दाना बड़ी नई डिजाइन का नया स्वेटर पहने हैं—सधे हाथों से बुनी एकदम नई डिजाइन की जैकेट!

"वाह-वाह! किसने बुन दिया इतना बढ़िया?" मैंने पूछा। आश्चर्य भी हुआ; क्योंकि कई पूर्व चेष्टाओं के बावजूद हम दाना के परिवार के विषय में बहुत-थोड़ी जानकारी ही प्राप्त कर पाए थे।

"हमारी फ्रैंड ने बुन दिया," कहकर दाना ऐसे अन्दाज से मुस्कराए कि "वह फ्रैंड कौन है, कहाँ रहती है?" आदि प्रश्नों की झड़ी लग गई। "बस,

फ्रेंड है," कहकर कुछ शरमाकर उन्होंने 'टॉपिक' बदल दिया, "यह देखिए हुजूर, बेकन व रस्किन की वह लाजवाब किताब लाया हूँ कि तबीयत फड़क उठेगी। पर नैनीताल में अब इनका मार्केट नहीं रहा..." फिर उन्होंने अपना पुराना किस्सा शुरू कर दिया। पादरी 'बरौन' के साथ-साथ ही बेकन और रस्किन को पढ़नेवालों के मातम का मर्सिया पढ़ने से दाना को रोकना ही पड़ा, दो किताबें खरीदकर। पर दाना की रहस्यमयी 'फ्रेंड' की जिज्ञासा गुदगुदाती रही—क्या जाने पुस्तकों की डोर से बँधी कोई पर्वतीय सुन्दरी या फिर टेलीफोन एक्सचेंज की कोई एंग्लो-इंडियन, और या स्वयं दाना की कोई कल्पना-लोक की उपज।

राजनीति की बहस छिड़ती, तो दाना सजग हो उठते—"दुनिया में एक ही काबिल आदमी है—और वह है पंडित नेहरू।" वे कहते, "जब तक है, तब तक अल्ला-अल्ला और आगे हिन्दुस्तान के मुसलमानों का खुदा हाफिज़। जितना दर्द पंडितजी को है, उतना क्या और किसी को होगा?" नेहरू उनके 'हीरो' थे।

एक बार दो वर्ष पहले पंडितजी नैनीताल आए। फ्लैट में भाषण था। दूर-दूर के पहाड़ों से आती चींटियों-सी पंक्ति ने क्षण-भर में फ्लैट को भर दिया। इधर-उधर देखा, कहीं दाना मियाँ नजर नहीं आए। दूसरे दिन किताबों की फेरी लगाने आए, तो हमने कहा, "आप कल दीखे नहीं?"

चेहरा लटक गया, डूबी आवाज में बोले, "बदकिस्मती ही थी हमारी।"

"क्यों, क्या बीमार थे?" हमने पूछा।

"अरे साहब! बीमार क्या, कब्र से भी चले आते।" वे बोले।

"तो फिर?" हमसे नहीं रहा गया।

"धोबी को शेरवानी दी थी कि खड़े घाट धोकर ले आना, कल पंडितजी का लेक्चर सुनने जाएँगे, पर धोबी और दर्जी भला कब अपनी जबान के सच्चे होते हैं! मन मारकर कोठरी में पड़े रोते रहे।"

"हद है, आप..." हमने कह ही दिया, "शेरवानी न थी तो न ही सही, ऐसे ही चले जाते। पंडितजी कोई रोज़-रोज़ थोड़े ही आते हैं!"

"वाह साहब, वाह!" दाना ऐसे बिगड़ खड़े हुए, जैसे मैंने उन्हें भरी महफिल में नंगा ही चले जाने को कह दिया हो। "गोया पंडितजी के सामने हम इस गन्दी-सी तमनिया और कुर्ते में चले जाते!" लाहौल पढ़कर दाना मियाँ ने हमें फटकार दिया।

इसी मार्च की बात है। कई दिनों से दाना नहीं दीखे थे। चारों ओर बर्फ की मोटी चादर जम गई थी। पर बर्फ, वर्षा और तूफान से आज तक दाना ने कभी हार नहीं मानी थी। उनके साप्ताहिक फेरे में ऐसा ढील-ढिलाव कहीं नहीं हुआ था। हम उनकी ईद-बकरीद भले ही भूल जाएँ, हमारी होली-दिवाली उन्हें कभी नहीं भूली। हर त्यौहार पर अपने दोनों लम्बे-लम्बे पठानी हाथ हिलाते हुए वे दूर से ही चिल्लाते, "मुबारक-मुबारक, होली की गुजिया, अबीर-गुलाल मुबारक!" सफेद दाढ़ी पर उनके हिन्दू प्रशंसकों का छिड़का अबीर-गुलाल और टोपी पर रंग के छींटे! इस बार होली आकर चली भी गई, पर दाना नहीं आए, तो कुछ खटका हुआ। नौकर भेजा, तो पता चला कि फेरी पर गए हैं। तीसरे पहर देखा–दाना मियाँ चले आ रहे हैं। पर ये दाना नहीं, जैसे उनकी छाया हो। काला चेहरा, झुकी हुई कमर और आँखों के नीचे स्याह लकीरें। "यह क्या, ऐसे में क्यों फेरी लगाने आए आप?" हमने कहा।

"अब क्या करें, आदत से लाचार हैं। आज आठ दिन से बुखार ने पटक दिया है। सोचा, आज सबसे दुआ-सलाम कर आएँ; फिर न जाने नाव किस घाट लगेगी!" उनकी सदा खुशी और उत्साह से चमकती रहनेवाली बड़ी-बड़ी आँखें एकदम आँसुओं से भर आईं।

"अरे आप ठीक हो जाएँगे। बुखार किसे नहीं आता! बैठिए, मैं आपकी किताबें ले आती हूँ।" कहकर मैंने दिलासा दिया, कुछ किताबें खरीदीं और कुछ लौटाईं। क्या पता था, यह आखिरी लेन-देन होगा!

पर दाना जान गए थे कि अब आना नहीं होगा। बच्चों के लिए रुके रहे। वे स्कूल से लौटकर आए, तो एक बार फिर पुराने दाना बन गए। पुराने मज़ाक दोहराए गए, नई किताबें फैलाईं और नई आला-आला किताबें लाने का वादा कर दुआएँ देकर चले गए।

दूसरे दिन बहुत बर्फ गिरी। तीसरे दिन और चौथे दिन बर्फ फाँदते हम गए, तो दाना के दरवाजे पर ताला पड़ा था। उनके बेटी-दामाद उन्हें घर ले गए थे। बहुत दिन बाद पता लगा कि दाना नहीं रहे। उनकी किताबें अभी भी उनकी याद दिलाती हैं और दिल भर आता है।

तल्लीताल के बस-स्टैंड के बाईं ओर एक बेंच पड़ी है, जिस पर होटलों के गाइड, डाँडी के गढ़वाली कुली, नीड़ पर चहकते पक्षियों का-सा कूजन करते हैं। रोडवेज की बसें अभी भी यंत्रवत् आ-आकर यथास्थान खड़ी हो जाती हैं।

तिब्बती लामा बेंच के पास अपनी मैली चादर फैलाकर सीटी, रंगीन मनकों की माला और झुमझुमों का बाजार लगाकर बेचने लगते हैं। इस तरह बेंच के तीनों कोने आबाद हो जाते हैं। वीरान रहता है चौथा कोना। और वह क्या अब कभी आबाद होगा? इसी कोने पर चादर फैलाकर कभी बैठते थे दाना। लम्बी-पतली, मोटी किताबें करीने से सजाकर वे इस अकड़ में बैठे रहते, जैसे पुरानी किताबें नहीं, मोती बेच रहे हों।

उस खाली पड़ी हुई जमीन के बदनसीब टुकड़े को देखकर जी में आता है—उनके मातम में एक मर्सिया पढ़ डालें। और दिल ही दिल में कहते हैं—जब तक यह छलाछल छलकता ताल है, यह बेंच है, इसके तीन आबाद और एक वीरान टुकड़ा है, दाना! तुम्हें नैनीताल कभी भूलेगा नहीं—खुदा हाफिज़!

मत तोड़ो चटकाय

हर ईद की आगमंनी मेरी स्मृतियों का सिंहद्वार चरमराकर खोल देती है।

बचपन रामपुर में बीता, जहाँ मेरे पिता पहले हिन्दू होम मिनिस्टर नियुक्त थे। 'मुस्तफा लॉज'; की आलमगीर कोठी, ड्योढ़ी पर संगीनधारी गारद, चारों ओर फैला मेहँदी की बाड़ और नीले ऊदे फूलों की खुशबू से महकता बाग—इसी परिवेश में हम खेले-कूदे, बड़े हुए इसी से शायद आज तक, ईद हमारे लिए उतनी ही महत्त्वपूर्ण है, जितनी हमारी होली, दीवाली।

अब, कभी-कभी लगता है कि जमाने की बेरहम करवट ने, हमारे त्योहारों की दुनिया ही बदलकर रख दी है। पहले जिन त्योहारों की आगमनी हमें उत्साह से भर देती थी, आज उन्हीं को मनाना हमारी विवशता बन गई है। जितने में कभी एक तोला सोना आता था, उतने में अब आधा किलो खोया तुलता है, बालाई पगी सेंवइयाँ हमारे लिए सपना बन गई हैं और मेवों से ठँसी-फँसी स्वस्थ गुझिया, आकाश कुसुमवत् बन चली है। दीवाली के खील-बताशे, खाँड के दर्शनीय खिलौने, सबकुछ पकड़ से बाहर—उस पर न वह स्वाद, न छटा। अब तो खाँड के बने हाथी-घोड़े भी आपको खंडित ही मिलेंगे, हाथी की सूँड तो घोड़े की टाँग। यहाँ तक कि अँगूठे भर के गणेश-लक्ष्मी भी पाँच रुपए से कम नहीं मिलेंगे।

खिलौने के साथ-साथ हमारे हृदय भी निश्चित रूप से खंडित हुए हैं—कहीं-न-कहीं आपसी भाईचारे और प्रेम की दीवार—संशय, अविश्वास और प्रवंचना ने हिलाई अवश्य है। देखा जाए तो हमारी धर्मांधता ने ही स्वयं हमें, हमारा दुश्मन बना दिया है।

मैं आज से लगभग छप्पन वर्ष के उस युग की साक्षिणी रही हूँ, जब इनसान,

इनसान था, न हिन्दू न मुसलमान। हर हिन्दू त्योहार में, देश-भर के पढ़े-लिखे, अपढ़ मुसलमान समान उत्साह से भाग लेते थे और हर हिन्दू उसी उत्साह से मुसलमानों के त्योहार में भाग लेता था। हर हिन्दू जवान पर सेंवइयों की मिठास रहती और हर मुसलमान गुझियों का आनन्द उठाता था। आज जब वे दिन याद आते हैं तो कलेजे में हूक-सी उठती है। ऐसा नहीं था तब हिन्दू-मुस्लिम दंगे नहीं होते थे, मैंने बनारस के वे भयानक दंगे भी देखे हैं, जब 'अल्लाह हो अकबर' और 'हर-हर महादेव' के रोम-रोम कँपा देनेवाले नारों से बनारस की अली-गलियाँ थर्रा उठती थीं, पर तब वे चतुर चालाक अंग्रेजों की भड़काई आग थी, आज हमारे अपने राजनीतिज्ञ ही हमारे घरों को फूँक तमाशा देख रहे हैं।

मैं तब, ग्यारह या बारह साल की रही हूँगी, फिर भी ईद की वे रंगीन कस्तूरी रामपुरी शामें, मुझ दो के पहाड़े-सी याद हैं। तड़के ही हम नहा-धोकर तैयार हो जाते कि कब हमारे पिता के सेक्रेटरी अलवी साहब आएँ और हमें ईद का मेला दिखाने ले चलें। साथ में रहते हमारे ट्यूटर स्मिथ साहब के दोनों बेटे पीटर और माइकेल। ठेठ रामपुरी लिबास, कुर्ता-पाजामा, सिर पर नमाजी टोपी, टोपी से निकले सुनहले बाल और नीली आँखों में अदम्य उत्साह—चरखी में बैठेंगे। चीनी के बने गिलास, लालटेन साइकिल सब इकन्नी में [illegible] गरी में मिले किशमिश, कटे छुहारों की पुड़िया दो पैसों में। इद का खास तोहफा। न कर्फ्यू का भय, न दफा 144 का आतंक! शाही सवारी भी क्या कम शान से निकलती थी! पर न साथ में होते थे मनहूस काले कमांडो, न ही काले बिल्ले! नवाब साहब बेखटके ताज पहने, मुस्कराते चले जा रहे हैं, रेजगारी लुटाई जा रही है—आज के ये राजा, बिना कमांडो या ब्लैककैट के दस्ते के, एक कदम चलकर तो देख लें! भले ही बुलेट प्रूफ कार के शीशे अभेद्य हों या बुलेट प्रूफ जैकेट के जिरहबख्तर पहने हों, रिमोट कंट्रोल पूरे दल-बल को ही तो पल भर में उड़ाकर रख सकता है। और जब स्वयं राजा ही ऐसी असुरक्षा से आतंकित हो तो वह प्रजा की क्या खाक सुरक्षा करेगा? पहले से गुरुजनों को लिखे गए पत्र में, एक पंक्ति अवश्य लिखी जाती थी—'श्रीमन मुख्य अपने गात का जतन को जिएगा तब हमारी पालना होगी।' अब, ऐसी मूर्खता कोई नहीं करता। यह पंक्ति ही पत्रों से उड़ गई है। हम जान गए हैं कि अपने अभागे गात का जतन हमें स्वयं करना है।

ईद के एक दिन पहले ही हमारा नया जोड़ा सिलकर मोहम्मद अली

पेशकार साहब के यहाँ से लाकर हमारे सिरहाने रख दिया जाता। जोड़ा भी ऐसा कि, हर ईद पर, हर तुरपन और बखिया में नई खुशनुमा ताजगी रहती। बड़े-बड़े पायचोंवाली शलवारें और नारंगी रंग का महीन तंजेबी कुर्ता, जिसकी बाँहों में खस और हिना की चुटकियों की चुन्नटें रहतीं, यह सब ठेठ रामपुरी कुर्तों का अपना अन्दाज था, शायद अब भी हो। राजारानी मलमल का, कड़ी कलफ में महीन चुन्नटों में बँधा इन्द्रधनुषी दुपट्टा, जिस पर अबरकी चमक बीच-बीच में तारों-सी झिलमिलाती, नोंकदार सलमा-सितारे जड़ी जूतियाँ ऐसी कसतीं कि चलते तो लगता अँगुलियाँ ऐंठी जा रही हैं पर मजाल जो हमारे मुँह से उफ तो निकल गए। जितनी बार नखूनी गोटा किरन लगा दुपट्टा सम्हालते, उतनी ही बार हथेली मदमस्त खुशबू से महक उठती। खुशबू भी ऐसी कि आज के फ्रांसीसी क्रिस्टीन डियारे के संट पानी भरें। आज हम विदेशी-सुगन्ध डोर से मुग्ध हो, सैकड़ों रुपया बहा, एक छोटी-सी प्रख्यात फ्रेंच परफ्यूम की शीशी हथियाने टूट पड़ते हैं, किन्तु अपने देश में जो दुर्लभ इत्रों का अशेष कोष है, उसका हमें ज्ञान ही नहीं है—वही पंक्तियाँ सटीक लगने लगती हैं कि 'अलि आवत सौ कोस से लेन सुमन की वास—दादुर रस पावत नहीं रहै सुमन के पास! शमातुलंबर, हिना, खस, अतर गुलाब कहाँ गईं वे सुगन्ध?

ईद के दिन मनिहारिन सुबह ही आकर चूड़ियाँ पहना जाती थी, हाथ भर रंगीन काले लच्छे, एक रुपए सैकड़ा, बीच-बीच में सुनहले लच्छे—चूड़ियों का उस युग में विशेष महत्त्व था, जैसे ही लुभावने रंग वैसे ही कंगूरेदार बनावट—मनिहार है तो कन्धे पर चूड़ियों की माला लटकाए, मनिहारिन है तो सिर पर चूड़ियों भरी टोकरी! नीचे धर, कपड़ा हटाती तो हमारे हृदय धड़कने लगते, कैसे-कैसे रंग और कैसी-कैसी छटा। वही अन्दाज, उन दिनों की लोकप्रियता रिकार्डों में उतर आती, उन दिनों सर्वाधिक लोकप्रिय रिकार्ड था—'अब के बालम फिर पिन्हा दे, आसमानी चूड़ियाँ।' न आज के-से लोकप्रिय गीतों की बेहूदी भाषा, न विचित्र धुनें।

फिर, आरम्भ होती ईद-मिलन की परिक्रमा। सबसे पहले जाते चीफ साहब की कोठी 'रोजविले'! चीफ साहब, सर अब्दुल समर खान, रामपुर नवाब के ससुर थे, और हमारे पिता के अभिन्न मित्र भी! जैसी ही ऊँची कद-काठी, वैसा ही रोबदार चेहरा। चाँदी की कटोरियों में सेंवइयाँ आतीं, हमारा माथा

चूम हमें ईदी थमाते, फिर न जाने कितने घरों की परिक्रमा होती, डॉ. वहीदी, डॉ. कुरैशी, माजिद साहब, मुहम्मद अली पेशकार साहब, रजा भाई और न जाने कितने और—

पेशकार साहब के सन्त के-से सौम्य चेहरे की एक-एक रेखा मुझे याद है। होंठों से लगी स्नेहसिक्त हँसी, करीने से सँवरी दाढ़ी, काली शेरवानी और गोल टोपी। उनकी बेगम, जिन्हें हम खाला कहते थे, साक्षात् अन्नपूर्णा थीं। बड़े प्रेम से खिलातीं, चौबीसों घंटे उनकी गोरी गदबदी अँगुलियों में तसवीर घूमती रहती। हमारे घर में कोई भी बीमार पड़ता तो फूँक डलवाने, उन्हें ही बुलवाया जाता।

हमारी माँ कहतीं—'साक्षात् देवी का स्पर्श है इनकी अँगुलियों में।'

एक बार मुझे तेज बुखार हो आया, आँय-बाँय बकती बिस्तर से भागने लगी थी। खाला आईं और जैसे ही उन्होंने नरम हथेली मेरे माथे पर धरी, सुना मैं शान्त होकर सो गई। उनके शरीर से आती वह मदमस्त खुशबू, रेशमी बुर्के की सरसराहट, बुर्के की जालीदार चिलमन से स्नेह विगलित दृष्टि से मुझे देखतीं वे सुरमाभरी आँखें, आज तक न जाने मेरी कितनी कहानियों की नायिकाओं को सँवार चुकी हैं।

हम तब उस बिरादरी में ऐसे घुलमिल गए थे कि कभी-कभी भूल जाते कि हम हिन्दू हैं। एक बार हम अपने पुराने ड्राइवर, शफीकुल बारी को अम्माँ की बधाई देने उनके घर आए। उनका बेटा मुईन हॉकी में स्वर्ण पदक लेकर लौटा था। साथ में मेरा छोटा भाई राजा भी था, उस दिन जन्म था इसी से टोपी लगाए था। उसे देखते ही बारी की अम्माँ ने टोक दिया—'हाय अल्ला, आज हिन्दुओं की-सी टोपी लगाकर आए हो भैया।' मुझे हँसी आ गई थी—'क्यों अम्माँ भूल गईं, हम तो हिन्दू ही हैं।' खिसियाकर उन्होंने अपना माथा ठोककर कहा, 'हाय अल्ला, मैं तो भूल ही गई थी बिन्नो!'

होली के दिन एक और चेहरा बरबस याद हो आता है, 'दाना मियाँ'—नैनीताल की एक खास शख्सियत, सफेद दाढ़ी, पान से रँगी बत्तीसी, सिर पर दुपलिया टोपी, पीछे-पीछे पहाड़ी कुली के सिर पर धरी किताबों की गठरी। नित्य फेरी लगाते, कभी शेर का डाँडा, कभी अंयार पाटा और कभी तल्लीताल बस स्टैंड के पास ही अपनी फटी चादर पर, किताबें सजाकर बैठ जाते, एक किताब पढ़ाने का रेट एक चवन्नी, पुरानी किताबें पढ़कर वापस करनी होतीं।

एक दिन, हमने टोक दिया—"वाह दाना मियाँ, आपका बिजनेस अच्छा

है, चित भी मेरी, पट भी मेरी अंटा मेरे बाप का' किताब भी मिल गई, पैसे भी।''

चट से बोले, ''माफ कीजिए हुजूर, आप पढ़े-लिखों से तो हम अनपढ़ अच्छा–इत्ती-सी बात आपकी समझ में न आई। आप लोग सलीमे जाती हैं, देखा और चली आईं, क्या सलीमे को यह कहकर घर लाती हैं कि हमने तो पैसे दिए हैं? देखा और दिमाग के कोठे में भर लिया, ऐसा ही किताबों का इल्म है, पढ़ा और दिमाग के कोठे में भर लिया।''

उनकी गठरी में फ्लौबेयर, मॉम, गॉल्सवर्दी से लेकर किस्सा हातिमताई और चहारदरवेश सबकुछ रहता, सचमुच ही उन्हीं की सीख और असंख्य चवन्नियों ने, न केवल हमारे दिमाग का कोठा ठसाठस भर दिया, हमारे बच्चों का भी कोठा भर दिया।

होली की सुबह दूर से ही अपने पठानी हाथ हिलाते, वे हाँक लगाते– 'होली की गुझिया मुबारक, अबीर-गुलाल मुबारक!' उनकी मेहँदी से रँगी दाढ़ी पर अबीर-गुलाल के छींटे रहते। गुझिया खा हम पर दुआएँ बरसाते वे चले जाते–'आपको तेज बुखार है, फिर भी आप इस चढ़ाई को पार कर आ ही गए', हमने कहा तो वे हँसे–'हुजूर, प्यासा मीठे चश्मे के पास ही जाता है।' आज सोचती हूँ, क्या उन मीठे चश्मों का उत्स ही सूख गया है?

एक और घटना याद हो आती है, वह भी होली की ही। साहिबजादा हामिद अली साहिब ने हमें गोद में खिलाया था, इसी से परिचय बहुत पुराना था, अन्त तक उन्होंने वह रिश्ता निभाया, भाईदूज, रक्षाबन्धन हो या होली, दीवाली, वे हमारे प्रथम अतिथि रहते–कोई दस-बारह साल पहले की बात है, प्रातः होली का हुड़दंग आरम्भ भी नहीं हुआ था कि उन्होंने घंटी बजाई–बेहद गुस्से में थे, 'पता नहीं तुम हिन्दुओं का यह कैसा कमबख्त त्योहार है, देखो हमारी बुर्राक तमनियों की क्या गत बना दी है। इत्ती सुबह घर से निकले कि तुम्हें होली की मुबारकबाद दे आएँ पर न जाने किस सिरफिरे को यह मजाक सूझा, लंगूर बनाकर रख दिया–लाहौल बिला कूवत!'

एक तो विराट् भीमकाय शरीर, उस पर लाल बैंजनी रंग की अजब बहार, मुझे हँसी आ गई तो वे फिर बिफर उठे–'हँसती है! शर्म नहीं आती?'

'पर मैंने रंग नहीं डाला हामिद भाई।'

'पर समझा नहीं सकतीं अपनी बिरादरी को?'

बड़ी मुश्किल से उन्हें मीठी गुझिया खिला, उनका गुस्सा शान्त किया–'मैं लखनऊ की पूरी हिन्दू बिरादरी की ओर से आपसे माफी माँगती हूँ हामिद भाई–माफ कर दीजिए।'

'ठीक है, ठीक है, जाओ माफ किया।'

आज बेरहम जमाने ने एक फाँस हमारे कलेजे में छोड़ दी है जो रह-रह कर सालती है। त्योहार वही हैं, हम वही हैं, वे ही मन्दिर हैं, वे ही मसजिद किन्तु हमारे दिल बदल गए हैं।

क्या ईद और होली के वे सहज सुखद दिन फिर कभी लौटेंगे? क्या हममें वह औदार्य वह सहिष्णुता रह गई है जो हम कह सकें कि 'ठीक है, ठीक है, जाओ माफ किया।' आज, दूध का जला हर हिन्दू, हर मुसलमान ठंडी छाछ भी फूँक-फूँककर पी रहा है।

ईद की सेंवइयों की वह मिठास, मेवे भरी गुझियों का वह अमृत तुल्य स्वाद फिर हमें पुलकित कर पाएगा? हो सकता है, स्थिति धीरे-धीरे सुधरे, इनसान एक बार फिर इनसान बनने की चेष्टा करे, किन्तु रहीम की सीख भयभीत आशंकित चित्त को विचलित अवश्य करती है।

'रहिमन तागा प्रेम का
मत तोड़ो चटकाय
टूटे तो फिर ना जुड़े
जुड़े गाँठ लग जाए।'

परमतृप्ति

तब हम अपने पितामह के साथ अल्मोड़ा में रहते थे। हमारे पड़ोस में एक ईसाई परिवार रहता था। कभी उस घर के गृहस्वामी डेनियल पन्त से हमारा ननिहाल का रिश्ता था, किन्तु हमारे कट्टर सनातनी पितामह का कठोर आदेश था कि हम उस ओर कभी आँख उठाकर भी न देखें। हमारे और उनके घरों के बीच एक सामान्य-सी ऊँची दीवार की ही ओट थी, इसी से उनके बावर्चीखाने में नित्य पक रहे सालन की मदमस्त खुशबू बड़े धड़ल्ले से हमारे रसोईघर तक चली जाती और हमारे ठेठ सनातनी चौके में पक रहे दाल, आलू की सब्जी की सात्त्विकी निरीह सुगन्ध को पराजित कर, हमारे नथुनों में घुस, हमें विवेकभ्रष्ट कर उठती। हमारे लोहनीजी पचासों गालियाँ देते तड़के ही खिड़कियाँ-दरवाजे बन्द कर देते। फिर भी दरारों को कौन बन्द कर सकता था! उस परिवार के बच्चों से, हम लुक-छिपकर मिलते तो थे ही, कुछ रक्त का सम्बन्ध और कुछ उनके आजाद स्वच्छन्द जीवन ने हमें मैत्री की अटूट डोर में बाँध लिया था। चमचमाते जूते, धारीदार मोजे, वोर्स्टेड की हाफ पैंट और बगुले के पंख-से कड़े कलॅफ किए गए कॉलर में सँवरी कमीज, टाई और विशिष्ट सज्जा में सँवारा बालों का झुग्गाधारी हेनरी मेरा प्रिय मित्र बन गया। उसकी बहनें ओल्गा, बेहद दुबली म्यूरियल (जिसे हम पीठ पीछे मरियल कहते थे। सन्ध्या होते ही बैमबर्ग ज्योर्जेट की साड़ियों में सजी-धजी अकेली ही घूमने निकलतीं तो हमारी छातियों में साँप लोट जाता। ''क्या जिन्दगी है इनकी!'' मेरा भाई कहता, "एक हम हैं, या 'अमरकोश' या 'पिलग्रिम्स प्रोग्रेस' ...जानती है हेनरी, आर्थर रोज अंडा खाते हैं।"

"सच?"

"और क्या, रोज गोश्त बनता है।"

हेनरी पंत ने पुष्टि की, "बिना गोश्त के हमारे गले के नीचे गस्सा नहीं उतरता, तुम हिन्दुओं की तरह हम चरी-भूसा नहीं खाते..."

"यह क्यों भूल जाते हो हेनरी, कि तुम्हारे बाबा और हमारे नाना चचेरे भाई थे, कभी उन्होंने भी यही चरी-भूसा खाया होगा..." मेरे जवाबी हमले से हेनरी खिसिया गया और उसी खिसियाहट को मिटाने, उसने तत्काल वह उदार प्रस्ताव रखा, जिसने लगभग हमारे प्राण ही कंठगत कर दिए थे।

"देखो, तुम चाहो तो मैं तुम्हें अपने घर के लुभावने सालन को सूँघने का इंतजाम कर सकता हूँ, किसी को कानोंकान खबर नहीं होगी।"

अपनी हाफ पैंट की जेब में हाथ डालकर वह बड़ी अकड़ की मुद्रा में, अपनी सींकिया देह को टेढ़ी कर खड़ा हो गया, "पर एक शर्त है, तुम्हें अपने अखरोट के पेड़ से चार-चार अखरोट मेरे लिए लाने होंगे। ठीक दस बजे हमारा खानसामा, 'भड्डू' (पतीला) में गोश्त भूजकर चढ़ा जाता है। फिर पकने तक परिंदा भी इधर नहीं फटकता। तुम अपने दाड़िम के पेड़ की डालें पकड़ किसी तरह दीवार की मुँडेर पर पहुँच भर जाओ। हमारे यहाँ चूना लगानेवाली सीढ़ीदार तिपाई है। मैं चट से लगाकर तुम्हें उतार लूँगा। पर शर्त याद रखना। चार अखरोट में एक ही बार सूँघने को मिलेगा।" उस उदार प्रस्ताव ने हमारे नन्हे दिल तो धड़का दिए, जो दिव्य सुगन्ध दूर से ही तैरती उतनी दुर्लभ लगती थी, उसे पास से सूँघने पर कैसा अनिवर्चनीय आनन्द आएगा उसकी कल्पना मात्र ही हमें हवा में उड़ाने लगी थी।

ठीक दस बजे ही भदकते भड्डू से निकली मदमस्त ख़ुशबू ने हमारे साहस को ललकारा और हम आठ अखरोट हाथों में छिपाकर, स्वयं लुकते-छिपते चाचा की ढालू छत पर चढ़ गए, फिर कैसे वे दाड़िम की कमजोर डालें पकड़ीं, फिसलनी छत की ऊपर की ढलान को कैसे पार किया, स्वयं नहीं जान पाये। वह अद्भुत सुगन्ध पल-पल निकट आती जा रही थी और हम दोनों भाई-बहन छत पर खड़े थे। हेनरी ने पहले पूछा, "अखरोट लाये हो ना?"

"हाँ।"

और चट से सीढ़ी लगा उसने हमें उतार लिया।

एक अँगीठी पर भड्डू चढ़ा था और उसका ढकना ख़ुशबूदार भाप से उठता-गिरता हमारे कलेजों को भी उठा-गिरा रहा था।

"लाओ अखरोट," हेनरी ने किसी कठोर सेनापति की अकड़ से रौबीले स्वर में आदेश दिया।

मैंने ही पहले उसकी हथेली पर चार अखरोट धरे।

"ले सूँघकर देख कुल एक बार, चार अखरोट में इतना ही सूँघ पाओगी..."

उसने पतीले का ढकना उठाया और मैंने आँखें बन्द कर, वह सर्वथा नवीन सुगन्ध दोनों नथुनों में भर कंठ में गटक ली।

वर्षों बाद, रियासती वैभव ने, हमें किसी भी आमिष स्वाद से वंचित नहीं रखा। जलमुर्गी, साम्भर, सुर्खाब, टर्की, कच्छप, तीतर, बटेर और कभी खासबाग से सील-मुहर लगा दस्तरखान, जिसके प्रत्येक व्यंजन को नवाब रामपुर की राजसी जीभ का स्पर्श करने से पहले मेरे पिता की जीभ का स्पर्श करना होता था। तब वे ही फिर सील-मुहर लगाते थे, हमने भी कई बार उन अपूर्व खानों को चखा था। पर जो परमतृप्ति; उस दिन न चखने पर भी उस भड्डू की भभक करा गई थी, वह शायद कभी नहीं भूल पाऊँगी।

जन्मदिन

नव का स्वभाव है कि वह एक न एक दिन संसार की सर्वश्रेष्ठ वस्तुओं से भी ऊब जाता है। किसी भी प्रकार की एकरसता, चाहे वह साहित्य में हो या संगीत में, उसे उबा देती है। यही कारण है कि कभी-कभी गरिष्ठ स्वादिष्ट भोजन की अभ्यस्त चटोर जिह्वा भी भुने चने या सत्तू के लिए ललक उठती है। बहुत वर्ष पूर्व मैंने अपने पिता के एक विदेशी मित्र की, ऐसी ही निराभरण शैंटी देखी थी, जो बहुत कुछ अंश में, हमारी भारतीय झोंपड़ी का ही परिमार्जित रूप थी। मेजर व्हिटबर्न, ओरछा महाराज के उन मुँहलगे दरबारियों में थे, जिन्हें उनके उदार शासन ने रहने की प्रत्येक सुविधा उपलब्ध करा दी थी, किन्तु अपनी ही इच्छा से वे उस शैंटी में रहने चले आए थे। साधारण मिट्टी-गारे से बनी उन दीवारों में बियर की रिक्त बोतलें उलटी कर भीतर तक ऐसे भर दी गई थीं कि केवल उनका पिछला भाग ही दीवार पर, कलात्मक गोलाई से उभर आया था। कमरे की मेज़-कुरसियों के स्थान पर बबूल, बरगद और आम्रविटपों के मोटे तने धरे रहते थे, कहीं एक चिलम उलटी कर टाँग दी गई थी और कहीं दो सूप संयुक्त कर बनाया गया लैंपशेड! सम्भवतः वह इस युग का आदि डिसकोथिक था। उसे ही देखकर महाराज अपने किले के वैभव से भी ऊबने लगे और उन्होंने भी शहर से दूर एक शैंटी का निर्माण करवाया, नाम धरा 'बैकुंठी'। बैकुंठी की उस सादगी में भी राजसी आभिजात्य की सुस्पष्ट छाप थी, समृद्धि का गौरव। स्वेच्छा से ही वानप्रस्थी बन गए ओरछाधीश की विनयशीलता, एक अनजान अतिथि को भी पग-पग पर, स्वयं अवगत कर देती कि उस सहज परिवेश में रहने चला आया पथिक साधारण पथिक नहीं है, वह महलों का वासी रह चुका है, किन्तु आज हमारे महलों के वासी, कभी-कभी अपने ओछे आचरण, रुचि एवं व्यवहार से यह प्रमाणित कर देते

हैं कि वे और जहाँ से भी आए हों, महलों से नहीं आए। थोथे चने की भाँति वे केवल घने ही नहीं बजते, टूटकर बिखरने पर, उनका घुनलगा खोखलापन, आँखों को आहत भी कर जाता है। इस प्रसंग में मुझे बचपन में सुना अपने पिता, और उनके एक भृत्य का वार्तालाप स्मरण हो आता है। लछुआ हमारे ग्राम कसून का ढोली था। विवाह, जन्म, जनेऊ के अवसरों पर उसे ढोल बजाने बुलाया जाता और अपनी ढमाढम थपेड़ों का नेग कमा वह फिर गाँव लौट जाता। मेरे पिता तब रामपुर नवाब के गृहमन्त्री थे। रियासती आचारसंहिता के अनुसार उन्हें साफा बाँधना पड़ता था। वे साफे जयपुर से मँगवाए जाते और कड़ी कड़क की गई कलफ में सधे वे साफे उन पर फबते भी खूब थे।

लछुआ ढोली एक दिन स्वामी के-से ही साफे बाँधने को ललक उठा। "हुजूर," उसने हाथ बाँधकर कहा, "एक ऐसा ही साफा मुझे भी दे दिया जाए।"

"साफा तो मैं दे दूँगा लछुआ," मेरे पिता ने हँसकर कहा, "पर सिर कहाँ से लाएगा?"

बात ठीक ही थी। इसमें कोई सन्देह नहीं कि साफे के साथ-साथ ऐसे सिर का होना भी आवश्यक है, जिस पर वह फब सके। आज, सिर कैसा भी क्यों न हो, यदि साफा है तो उसे बाँधा अवश्य जाता है, भले ही वह फूहड़ और बेमेल क्यों न लगे। नवीन समृद्धि, विजया के मद की भाँति, उसे ही अधिक बौरा देती है, जिसने उसे पहले कभी चखा न हो। वन्या के-से वेग में, इस नवीन समृद्धि की धारा, अपने स्वामियों को निरन्तर बहाती चली जाती है। जितना ही वेग आकस्मिक और प्रखर होता है, उतना ही भोंड़ा और खोखला प्रदर्शन होता है उनके नवीन वैभव का। ऐसा ही प्रदर्शन कभी-कभी चित्त को वितृष्णा से भर देता है। एक-एक लाख की लागत के बने शयनकक्ष, चाँदी के द्वार या पुत्री के विवाह पर वितरित किए ताम्रपत्री निमन्त्रण-पत्र, मधुयामिनी मनाने विदेश गई जोड़ी की उड़ान, नक्खास की चोर बाजार से खरीदे गए चार-चार हज़ार के झाड़-फानूस—इन सबमें नवीन समृद्धि की परिष्कृत रुचि मुखर नहीं होती। मुखरित होता है, उसकी समृद्धि का अश्लील भोंड़ापन। समृद्धि एवं आभिजात्य, वैभव एवं विनयशीलता एक-दूसरे के लिए सोने में सुहागे का-सा ही महत्त्व रखते हैं।

अभी कुछ वर्ष पूर्व नैनीताल में एक ऐसे ही नवीन समृद्धि से महिमान्वित परिवार की प्रतिवेशिनी बनने का सौभाग्य मुझे भी प्राप्त हुआ था। काशीपुर

के पास उनका बहुत बड़ा फार्म तो था ही, पंजाब के एक प्रसिद्ध गुरुद्वारे के भी वे प्रबन्धक थे। बच्चे नैनीताल के अंग्रेजी स्कूलों में, कई वर्षों से, एक ही कक्षा में विशेष योग्यता प्राप्त कर रहे थे। मेरे अभागे सेब के पेड़ का शायद ही कोई सेब उनकी अचूक निशानेबाजी से क्षत-विक्षत न हुआ हो। बर्फ गिरती तो उनके 'स्नोबौल' की वर्षा से हमारा बाहर निकलना दूभर हो जाता, गुलेल के निरन्तर प्रहार से हमारी अधिकांश खिड़कियों के शीशे टूट चुके थे। तीनों बाल-दस्यु फर्राटे से अंग्रेजी बोलते, पूड़ी-पराँठों को भी छुरी-काँटों से विदीर्ण कर मुँह में रखते और निगरगंड बछड़ों की भाँति जिधर मन आता, उधर मुँह मारते निकल जाते। उनके जनक-जननी का अधिकांश समय बोट हाउस क्लब में बीतता, गृहस्थी बैरा-बटलर चलाते। प्रत्येक बैरे की वेशभूषा में, किसी फाइव स्टार होटल के बैरे की-सी त्रुटिहीन सज्जा रहती, वैसा ही साफा, वैसे ही चमकते मोनोग्राम। इस प्रभावशाली फौज के अतिरिक्त, अपने पेडिग्रीड कुत्ते के उल्लेखनीय कुलगोत्र का विशद वर्णन वे प्रायः ही मुझे सुनाती रहतीं।

एक दिन उनका रोबदार बैरा करीम अपनी वर्दी के चमकीले बटन चमकाता आया और मुझे एक कार्ड थमा गया। सुनहले अक्षरों में, एक अत्यन्त आकर्षक निमन्त्रण-पत्र पर, उनके प्रिय कुत्ते ज्यौर्जी के सातवें जन्मदिन पर, अपने कुत्ते को भेजने का सस्नेह आग्रह किया गया था। कुत्ते के साथ, मैं अपनी उपस्थिति से पार्टी को धन्य करूँ, ऐसी भी एक लुभावनी पंक्ति अंकित थी। दुर्भाग्य से मेरे पास कोई कुत्ता नहीं था, इसी से मैंने उनसे फोन पर ही अपनी असमर्थता प्रकट कर माफी माँग ली। बाहर लॉन पर उस भव्य आयोजन की भूमिका बाँधी जाती देखी, तो जीवन में पहली बार कुत्ता न पालने का दुःख हुआ। बड़ी-सी मेज़ पर दुग्ध-धवल चादर बिछी थी, बड़ी-बड़ी प्लेटों में, लुभावनी हड्डियाँ, बिस्कुट, मफिन सजाए जा रहे थे, केक की गुलाबी आइसिंग को, उत्तराखंडी डूबते रक्ताभ सूर्य की म्लान किरणें अपनी प्राकृतिक 'आइसिंग' से और भी आकर्षक बना रही थीं। उधर लोहे की चेन से बँधा ज्यौर्जी, अपनी अधीर भौं-भौं से स्वयं अतिथियों को निमन्त्रित कर रहा था। एक-एक कर, नैनीताल की श्वानप्रिय बिरादरी, अपने-अपने दर्शनीय अतिथियों को चेन से बाँधकर पधारी। महाराज जींद के आकर्षक स्पैनियल, मदनलाल शाह के प्रसिद्ध पोमेरियन, फार्मवालों के कद्दावर ऐल्सेशियन, उधर अभागा मेज़बान, स्वामिनी की 'नो-नो' को अनसुनी कर, अपने उच्चकुल की महत्ता भूलभाल, नितान्त चौराहे के देसी कुत्ते के व्यवहार पर उतर आया था। स्पष्ट था कि

उसे इस विभिन्न कुलगोत्र की बिरादरी की अगवानी पर घोर आपत्ति थी। संसार का कोई भी कुत्ता, चाहे वह कैसा ही शालीन क्यों न हो, क्या कभी अपने हिस्से की बोटी के उदार वितरण को मान्यता दे सकता है? उधर अतिथियों की भी सारी पेडिग्री बोटियों की सुगन्ध सूँघते ही न जाने किस आरक्षित छिद्र से बह गई। एक पल में ही जैसे महाप्रलय हो गया, अतिथियों ने स्वामियों को खींचा, स्वामियों ने अतिथियों को, उधर मेज़बान स्वामिनी को धकेल, मेज़ पर कूद, सजे केक पर आरूढ़ हो गया। प्लेटें टूटीं, हड्डियाँ बिखरीं, बैरे चीखे और भौं-भौं के समवेत स्वरों की गूँज चीनापीक से टकराने लगी। मैं अपनी खिड़की से यह सारा नाटक देख रही थी। पता नहीं, बेचारे ज्यौर्जी के विगत जन्मदिन कैसे बीते थे, पर वह जन्मदिन तो निश्चय ही ऐसा नहीं था कि कोई कहता, 'ईश्वर करे, यह दिन बार-बार आए!'

●●●